# 내 이야기가 돈이 된다
# 네이버 블로그로 시작하는 브랜딩

서용주

내 이야기가 돈이 된다: 네이버 블로그로 시작하는 브랜딩

| | | |
|---|---|---|
| 발행 | \| | 2024년 3월 30일 |
| 저자 | \| | 서용주 |
| 디자인 | \| | 어비, 미드저니 |
| 편집 | \| | 어비 |
| 펴낸이 | \| | 송태민 |
| 펴낸곳 | \| | 열린 인공지능 |
| 등록 | \| | 2023.03.09(제2023-16호) |
| 주소 | \| | 서울특별시 영등포구 영등포로 112 |
| 전화 | \| | (0505)044-0088 |
| 이메일 | \| | book@uhbee.net |

ISBN | 979-11-93116-56-2

www.OpenAIBooks.shop

# 내 이야기가 돈이 된다
# 네이버 블로그로 시작하는 브랜딩

## 서용주

# 목차

# 프롤로그

50대가 된 후로 은퇴 후 무엇을 해야 할지, 경제적 준비는 어떻게 할지 생각이 많아졌습니다. 그러나 2022년 블로그를 시작으로 인스타그램, 유튜브 등 다양한 플랫폼을 배우고, 콘텐츠를 만들기 시작하면서 그런 걱정은 사라졌습니다.

블로그의 세계는 무한한 가능성으로 가득 차 있습니다. <내 이야기가 돈이 된다: 네이버 블로그로 시작하는 브랜딩>을 통해, 네이버 블로그의 기본부터 전문적인 관리와 수익 창출까지 배울 수 있습니다.

1장에서는 블로그의 정의와 네이버 블로그를 시작해야 하는 이유를 소개합니다. 이는 디지털 시대에 자신만의 브랜드를 구축하고자 하는 모든 이들에게 필수적인 지식입니다.

2장은 자신만의 이야기를 찾아 다른 사람과 차별화하는 방법을 다룹니다. 코어 콘텐츠, '이키가이', 블로그 주제 찾기 등을 통해 나만의 핵심 콘텐츠를 발견하게 합니다.

3장은 블로그 설정의 기초부터 고급 기술까지 단계별로 안내합니다. 초보자도 쉽게 따라 할 수 있는 설정 방법을 제공함으로써, 블로그를 효과적으로 시작할 수 있도록 돕습니다.

4장에서는 네이버 블로그 로직과 블로그 지수를 상세하게 소개합니다. 이는 검색 최적화와 블로그의 가시성을 높이는 데 핵심적인 역할을 합니다.

5장은 네이버 A.I가 선호하는 글쓰기 방식과 콘텐츠를 다루어, 방문자 수와 체류 시간을 증가시키는 전략을 제시합니다.

6장은 30분 안에 쉽고 빠르게 글을 작성하는 방법을 제공함으로써, 효율적인 블로그 관리를 가능하게 합니다.

7장부터는 블로그를 통한 수익 창출 방법을 소개합니다. '애드포스트'를 시작으로, 블로그를 통해 어떻게 돈을 벌 수 있는지를 상세히 설명합니다.

8장과 9장은 블로그 이웃을 늘리고, 통계 분석을 통해 방문자 수를 증가시키는 전략을 제공합니다. 이는 데이터 기반의 접근 방식을 통해 효과적으로 성장하는 데 중요합니다.

10장과 11장은 수익형 블로그 핵심인 상위 노출을 위해 가장 중요한 키워드 설정과 블로그 성장 전략을 다룹니다. 키워드의 중요성과 블로그 순위 확인하는 방법, 저품질 누락 이유 및 해결 방법 등 반드시 기억해야 할 내용을 꼼꼼히 다뤘습니다.

이 책은 단순한 가이드북을 넘어, 여러분의 블로그가 성공으로 가는 길을 안내하는 나침반이 될 것입니다. 블로그 여정이 시작되는 지금, <내 이야기가 돈이 된다: 네이버 블로그로

시작하는 브랜딩>과 함께 그 첫걸음을 내딛으시기를 바랍니다. 네이버 블로그로 꿈을 실현하고 자신만의 브랜딩 여정을 걸어가는 여러분을 응원합니다.

# 저자 소개

경제적 자유와 선한 영향력에 진심인 서용주(머니에디터)입니다.

먼저 3가지 숫자로 저를 소개합니다.

## 1. 29_ 29년 차 직장인

평생학습자로 29년째 직장에 다니고 있는 50대 직장맘입니다. 21년 동안 편집자였고, 지금은 교육 부서에 5년째 있습니다. 결혼 2년 만에 남편이 중도 실명한 장애인 가족이기도 합니다. 돌이 막 지난 딸이 있었지요. 시각장애인 1급이 된 남편은 재활 후 6년 만인 40대 중반에 공무원이 되었습니다.

5년 전에 강등되어 새로운 부서에서 바닥부터 다시 시작했는데, 그 와중에 8년 전에 지인에게 샀던 토지가 수억 원대 기획부동산 사기라는 것을 알게 됐습니다. 거듭된 충격으로 일시 실명과 뇌경색 초기 증상까지 왔고, 4년 동안 모두 내려놓고 흘러가는 대로 살았습니다. 자신감 잃고, 희망 사라졌고, 우리 가족의 미래 희망이던 돈까지 날렸으니 삶을 포기하고 싶은 마음도 있었습니다.

2022년 2월 7일 밤 <세븐 테크> 출간 기념 유튜브 강의를 들으며 다시금 희망을 품었습니다. 4차 산업혁명인 웹 3.0에 대해 알게 된 후, 이번 기회만은 놓치지 말아야겠다는 간절함과 절실함으로 공부하고 있습니다.

## 2. 9000 _ 45년 동안 9,000권 독서

독서와 배움은 제 삶을 관통합니다. 전자공학 전공자가 하나님의 은혜로 편집자가 되었습니다. 제 부족함을 알기에 끊임없이 책이나 강의를 통해 업그레이드해 왔습니다. 새로운 것을 배우고 적용하고, 나누는 것을 좋아합니다.

7세부터 지금까지 45년 동안 9,000권의 책을 읽었습니다. 기독교 출판계에 있지만 즐겨 보는 책들은 자기 계발, 경제, 경영 도서입니다. 20대에 정보처리기사 1급, 워드 프로세서 2급, 사무정보처리기사 2급, 운전면허, 일본어 JPT 2급을 취득했고, 30대에 휴넷 평생회원이 되어 휴넷 MBA를 비롯해 93개 강의 3,201학점 수강, 민간자격증 9개를 더했습니다. 2022년 2월 MKYU대학에 입학해 73개 강의, 5,500학점을 수료한 수석 장학생입니다.

## 3. 40_ 은퇴 후 40년을 풍성하고 의미 있는 삶을 살게 도움

은퇴 후 40년 동안 경제적 자유를 누리고, 평생 할 일을 찾으며, 의미 있는 삶을 살기 위한 비움, 배움, 나눔 과정을 전하고 있습니다. 40-60대 사람들이 은퇴 후 할 일을 찾고, 여유롭게 살며 재정, 경험, 삶, 지식을 흘려보내는 삶을 살도록 동기부여 하는 사람이 되고자 합니다.

# CHAP 01
# 블로그 시작하기

# 블로그 세계에 오신 여러분을 환영합니다.

1. 블로그의 정의

블로그의 뜻이 무엇인지 아시나요? 웹과 로그의 합성어입니다. 웹 사이트 상에 남기는 기록을 뜻합니다.

블로그 Blog = weB (웹, 인터넷) + LOG (기록)

그럼 기록은 무엇을 말할까요? 글(text), 이미지, 영상 등을 말합니다. 당연히 다른 사람의 글을 베끼면 안 되겠지요.

그래서 강의나 도서 리뷰를 쓰거나 이미지를 사용할 때 주의해야 합니다. 인터넷에 올려진 글과 이미지, 강사 내용을 그대로 가져와서 사용하면 안 됩니다.

제가 처음에 블로그를 시작하며 514 챌린지나 강의 리뷰를 최대한 내용 그대로 넣어야 한다고 생각했던 때를 생각하면 뜨끔합니다. 모르면 용감합니다.

나만의 관점, 나만의 색, 내 경험을 넣는 것이 중요합니다. 리뷰를 쓸 때도 단순히 책 내용 요약이나 장소 설명보다 내가 읽거나 체험한 후 어땠는지 구체적인 경험담을 작성하는 것이 중요합니다.

무료 사이트 이미지를 사용하는 것도 마찬가지입니다. 인터넷상에 똑같은 무료 이미지가 얼마나 많을까요? 당연히 내 사진을 쓰는 것이 제일 좋고, 무료 이미지 사이트를 사용하더라도 글과 관련 있는 이미지를 사용해야 신뢰성이 높아집니다.

내 블로그에 쓴 글을 그대로 복사해서 네이버 카페나 스마트 스토어 등에서 사용하는 것도 좋지 않습니다. 블로그, 카페, 스마트 스토어 모두 네이버가 운영하기 때문입니다. 같은 계열이기 때문에 똑같은 글이나 이미지를 사용한다면 블로그 지수가 떨어집니다.

하지만 내 블로그 글을 인스타그램이나 페이스북, 유튜브에 그대로 사용하는 것은 괜찮습니다. 아예 다른 플랫폼이기 때문에 불이익을 당하지 않습니다. 지금은 AI 덕에 글쓰기와 이미지의 문턱이 대폭 낮아졌습니다. 챗지피티(ChatGPT), 구글의 바드(Bard), MS사의 빙챗(BingChat), 네이버의 CLOVAX 등 다양한 AI 도구를 활용할 수 있기 때문입니다.

2. 네이버 블로그를 해야 하는 이유

그렇다면 왜 네이버 블로그를 해야 할까요? 인스타그램이나 유튜브가 대세이고, 블로그는 너무 올드한 매체 아닌가 하는 생각이 드시나요?

네이버는 명실공히 우리나라 최고의 검색엔진입니다. 전체 검색 시장의 70% 가까이 장악하고 있지요. 10년 이상 된 매체인데도 사용 인구가 계속 늘고 있습니다.

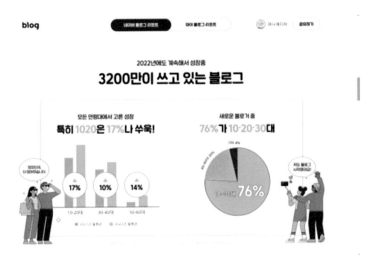

2022 블로그 리포트 자료 중

2022년 블로그 리포트를 보면 3,200만 명이 블로그를 사용하고 있고, 모든 연령대에서 고른 성장세를 보였습니다. 2022년에 처음 블로그를 시작한 연령대 중에서 1020세대는 무려 17%나 늘었고, 새로운 블로거 중 76%를 10, 20, 30대가 차지합니다.

## 1. 국내 최대 사용자 수

2023년 6월 기준으로 국내에서 가장 많은 사용자 수를 보유하고 있습니다. 국내 인구의 약 70%가 네이버 회원으로 가입되어 있으며, 이 중 상당수가 블로그를 운영하고 있습니다.

## 2. 다양한 기능 제공

사용자들이 블로그를 쉽게 운영할 수 있도록 다양한 기능을 제공하고 있습니다. 예를 들어, 글 작성, 사진 업로드, 동영상 업로드, 태그 작성 등이 있습니다.

## 3. 검색 엔진 최적화(SEO) 용이

검색 엔진 최적화(SEO)가 용이합니다. 검색 엔진 최적화를 통해 블로그의 노출을 높일 수 있으며, 이를 통해 블로그의 인기도를 높일 수 있습니다.

## 4. 광고 수익 창출 가능

애드포스트를 통해 광고 수익을 창출할 수 있습니다. 애드포스트는 네이버에서 제공하는 광고 서비스로, 블로그에 광고를 게시하고, 광고 수익을 얻을 수 있습니다.

## 5. 다양한 콘텐츠 제공

다양한 주제의 콘텐츠를 제공하고 있습니다. 사용자들은 자신이 관심 있는 분야의 콘텐츠를 쉽게 찾을 수 있으며, 이를 통해 자신의 지식과 경험을 쌓을 수 있습니다.

## 6. 커뮤니티 기능 제공

서로 소통할 수 있는 커뮤니티 기능을 제공하고 있습니다. 사용자들은 다른 사용자들과 댓글을 주고받으며, 서로의 의견을 공유할 수 있습니다.

## 7. 다양한 플랫폼과의 연동

인스타그램, 페이스북 등 다양한 플랫폼과 연동이 가능합니다. 이를 통해 사용자들은 자신의 블로그를 다양한 플랫폼에서 홍보할 수 있으며, 더 많은 사람에게 자신의 콘텐츠를 알릴 수 있습니다.

2023년에도 네이버 블로그는 여전히 많은 사람이 이용하는 대표적인 소셜 미디어 중 하나로 다양한 기능과 장점을 가지고 있습니다. 개인 일상을 적는 사람들뿐 아니라 퍼스널 브랜딩이나 회사 홍보 등 자신의 목적에 맞게 네이버 블로그를 활용하여 자신의 브랜드를 구축하고, 수익을 창출할 수 있습니다.

# CHAP 02
## 나만의 스토리로 차별화하기

인스타그램은 사진 한 장만 올려도 됩니다. 이에 비해 블로그는 글을 써야 하므로 부담이 더 큽니다. PC나 노트북 앞에 앉아 있지만 무엇을 써야 할지 머릿속이 하얗게 될 수 있습니다. 제가 그랬습니다.

글쓰기에 관해 이야기하기 전에 먼저 생각할 부분이 있습니다.

## 1. 나에 대해 알기 _ 코어 콘텐츠 찾기

2022년 2월에 MKYU 대학 입학 후에 가장 많이 들은 이야기가 '코어 콘텐츠'입니다.

### 나만의 코어 콘텐츠를 찾아라.

나만의 IP를 찾아라.

가장 나다운 모습을 알아야 한다.

나는 무엇을 좋아하는가?

무엇을 잘하는가?

무엇을 하고 싶은가

**세상이 원하는 것과 내가 원하는 것의 교집합**

김미경 학장, <나다움>의 이주열 교수, 드로우앤드류, 블로그 김동석 강사, 인스타그램 황캡틴 등 그동안 배운 수많은 책과 강의에서 저자들과 강사들이 공통으로 강조한 부분입니다. 이를 찾기가 쉽지는 않습니다.

요즘 아이들은 어렸을 때부터 적성 검사, 진로 찾기 등 다양한 체험을 합니다. 하지만 50대인 우리 세대에는 이런 것을 생각조차 해 본 적이 없는 사람이 많습니다. 대학도 점수 맞춰 가기 바빴지요. 그러니 나의 코어 콘텐츠를 찾는다는 것이 어렵기만 합니다.

김미경 학장은 11월 14일 514 챌린지에서 코어 콘텐츠 찾는 방법을 명확하게 설명해 줍니다.

1. 경험, 상황

내 상황을 이용할 수 있어야 합니다. 똑같은 경험을 하고, 같은 삶을 살아온 사람은 이 세상에 아무도 없습니다. 누구나 그동안 살아온 경험, 상황이 코어 콘텐츠가 될 수 있습니다.

## 2. 일상, 습관

일상은 위대한 코어 콘텐츠입니다.

일상 속에 먹고 살려고 열심히 하는 일, 가장 많은 시간을 쏟는 일, 가장 많이 머무는 일이 바로 나의 코어 콘텐츠가 될 수 있습니다.

## 3. 취미, 관심사

나의 취미나 관심사도 코어 콘텐츠가 될 수 있습니다.

취미를 빠르게 하는 방법, 쉽게 할 수 있는 방법 등도 포함됩니다. 정리 정돈을 잘하나요? 가계부를 오랫동안 써왔나요? 쉽고 빠르게 할 수 있는 요리 비법을 많이 아나요?

내가 수많은 시행착오를 겪으며 해 온 것을 알려줄 수 있습니다. 전문가가 아니어도 됩니다. 초보자에게는 하늘 위에 있는 것 같은 전문가에게 배우기는 어렵습니다. 그분들도 초보자들의 마음은 제대로 모르지요. 이미 오래전에 지나온 길이니까요.

이런 경우 오히려 얼마 전에 이 길을 걸어온 나보다 조금 잘하는 사람에게 배우는 것이 더 도움이 됩니다. 다른 사람의 시간을 줄여 주고, 돈을 절약해 줄 수 있는 일이 나의 코어 콘텐츠가 될 수 있습니다.

## 4. 특기, 지식

실력 차이 아니라 시간 차이입니다. 제가 온라인 세계에 들어온 후 가장 절실하게 느낀 부분입니다. 하면 됩니다. 내가 특별히 잘할 수 있는 것을 찾으십시오.

제가 가진 가장 큰 특기는 독서, 배움, 글쓰기와 구조화입니다. 오랜 시간 해 온 독서와 21년 동안 편집자로 살아온 시간은 헛되지 않습니다. 글을 보는 눈, 글을 다듬는 능력, 콘텐츠 구성력을 갖췄습니다.

특출난 실력도 없는 상위 20% 정도의 편집자였습니다. 29년이라는 세월 동안 직장 일을 했다는 것 외에 내세울 것이 많지 않습니다. 글쓰기를 시작한 것은 9개월밖에 되지 않았지만, 여러 개의 B급 실력들이 융합하자 폭발적인 성장을 이뤘습니다.

수많은 실패 창고가 쌓여 있었기 때문입니다. 모든 사람의 삶 속에 실패, 아픔, 수많은 경험 중 헛된 것은 없습니다.

중도 실명자 가족, 29년 차 직장인, 21년 편집자,

5년 차 교육업체, 기독교인,

맞벌이, 사춘기 딸 엄마, 며느리, 장녀,

방문판매 실패, 강등, 기획부동산 사기,

수십 년 독서, 배움, 노력, 끈기

이런 사건들을 겪은 사람은 이 세상에 저 한 사람밖에 없습니다. 여러분 역시 마찬가지입니다.

5. 꾸준하거나 탁월하거나

내가 남들에게 나눠 줄 수 있는 것들은 무엇일까요?

언제나 다른 사람에게 어떤 유익을 줄 수 있는지를 생각해야만 합니다.

'나의 관심사'가 아닌 '다른 사람(고객, 독자, 타인)의 관심사'로 관점의 변화를 가져야 하지요. 자청이 <역행자>에서 말했듯이 돈을 버는 방법은 간단합니다. 첫째, 다른 사람을 행복하게 해 주거나, 둘째, 다른 사람을 편하게 해 주면 됩니다.

탁월함과 꾸준함은 연결돼 있습니다. 그래서 매월 14일 동안 매일 새벽 5시에 일어나 514 챌린지가 중요합니다. 매일 새벽 5시에 기상해 나를 들어 올리고, 자기 계발한 시간이기 때문입니다. 무엇인가 해냈다는 작은 성취감들이 모여 계속할 수 있는 힘을 줍니다.

탁월해진 사람은 꾸준할 수밖에 없습니다. 그만두지 않고, 꾸준하게 했습니다. 내 속도대로, 내 노력대로 살아왔습니다. 누가 보건 안 보건 그냥 계속 이렇게 살아온 것입니다.

꾸준함이 정답입니다.

미친 듯이 지속하십시오. 그러면 반드시 나의 코어 콘텐츠를 찾을 수 있을 것입니다. 나의 일상이 코어 콘텐츠입니다.

## 2. 이키가이

이키가이(Ikigai)는 일본에서 온 개념입니다. 드로우앤드류가 세바시 강연을 포함해 여러 강연에 나와서 말하며 알게 되었습니다.

이키가이는 첫째, 내가 좋아하는 것, 둘째, 내가 잘하는 것, 셋째, 돈이 되는 것, 넷째, 세상이 필요한 것에서 찾아야 합니다.

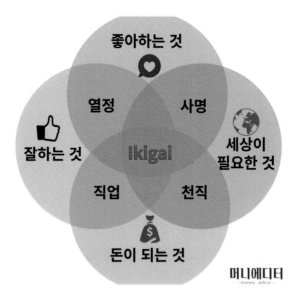

이키가이_드로우앤드류 세바시 강연 중에서

> 1. 내가 좋아하는 것 + 내가 잘하는 것 = 열정
>
> 2. 내가 잘하는 것 + 돈이 되는 것 = 직업
>
> 3. 돈이 되는 것 + 세상이 필요한 것 = 천직
>
> 4. 내가 좋아하는 것 + 세상이 필요한 것 = 사명

4가지 중에서 2개씩 만나는 교집합이 있습니다.

사명은 너무나 귀중하지만 돈이 벌리지 않기 때문에 지속하기가 어렵습니다. 천직도 의미 있지만 내가 잘하거나 좋아하지 않기 때문에 의무감만으로 끌고 갈 수 있습니다.

가장 좋은 것은 이 네 가지의 교집합인 진정한 이키가이를 찾는 것입니다. 김미경 학장은 <김미경의 성공 습관 따라 하기> 강의에서 내가 원하는 작은 목표 30가지 이상 적은 후 균형을 맞춰 코어를 찾으라고 했습니다.

이 모든 것의 기반은 나를 제대로 아는 것에서 시작해야 한다는 것입니다. 이를 위해서는 끊임없이 내게 질문해야 합니다.

## 3. 타이탄의 도구들을 모으라

팀 페리스는 <타이탄의 도구들>의 '천재와 싸워 이기는 방법'에서 상위 25%의 기술을 두 개 이상 엮음으로써 전혀 새로운 것들을 만들어내는 전략을 소개합니다.

초보가 왕초보를 가르치는 시장이 열렸습니다. 나의 타깃은 초고수, 상위 15%가 아닙니다. 언제나 왕초보, 초보가 전체의 75%를 차지합니다. 중수가 20% 정도 되지요.

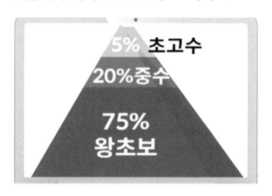

내가 가진 능력 중 잘하는 것을 2개 이상 조합하면 나만의 가치가 나옵니다. 답은 결코 하나가 아닙니다. 어떤 시장이든 뾰족하게 준비하면 틈새시장은 언제나 있습니다.

예전에는 그런 고객이 어디 있는지 찾을 수 없었지만, 지금은 SNS라는 훌륭한 도구가 있습니다. 덕분에 누구나 무자본 창업을 하고, 브랜드나 상품 홍보나 퍼스널 브랜딩을 하는 것이 가능해졌습니다.

## 4. 가장 쓰고 싶은 것 먼저 쓰기

가장 행복했던 시간, 가장 아팠던 시간, 가장 힘들었던 시간, 가장 즐거웠던 시간을 써보십시오. 일단 내 속의 것들을 토해낼 시간이 필요합니다. 비공개로 하더라도 일단 한번 써보십시오.

남에게 하지 못할 말, 억울한 일, 즐거웠던 추억, 성취 경험…. 저는 제 인생의 실패 기록들을 쓴 후에 치유되고 다시 일어날 힘을 얻었습니다.

## 5. 일단 지금 당장 쓰자

지금 당장 쓰십시오. 스마트폰이든, PC나 노트북이든 블로그에 로그인해서 일단 써 보십시오.

발행하지 않고 저장해 두어도 됩니다. 무엇이든 좋습니다. 일단 백지에 글을 써 내려가다 보면 어느덧 글이 만들어질 것입니다.

1일 1 글쓰기를 강조하는 이유는 아직 글쓰기가 습관이 되지 않은 사람들이 글 쓰는 습관을 들이기 위함입니다. 혼자는 쉽지 않습니다. 찾아보면 수많은 챌린지 프로그램이 있습니다. 나와의 약속을 잘 지키는 사람이라면 네이버 블로그에서 제공하는 100일 챌린지를 활용해도 좋습니다.

새벽기상, 감사일기, 일기. 영화감상, 웹툰이나 드라마 줄거리 등 무엇이든 좋으니 일단 매일 글 쓰고, 쌓기 시작하십시오.

## 6. 많이 써야 글이 좋아진다

계속해서 쓰다 보면 글 쓰는 것이 자연스러워지고, 편해집니다. 글을 처음 써 보는 사람이라면 최소한 80~100개 정도는 쌓여야 합니다. 아직 내 글이 20~30개 이하라면 지금은 좀 더 글을 쓰며 쌓을 때입니다.

기초 데이터가 없이는 나의 코어 콘텐츠도, 주제도 파악하기 어렵습니다. 이렇게 글을 쓰는 동안 서서히 깨달을 것입니다. 내가 어떤 글을 쓰는 것이 편한지, 어떨 때 술술 써지는지, 어떤 글에 공감과 댓글이 많이 달리는지 알게 됩니다.

다른 일은 외주가 가능하지만 독서와 글쓰기는 누가 대신해 줄 수 없습니다. 오롯이 나의 시간과 에너지를 투자해야 할 부분입니다. 글이 좀 쌓였다면 이제 목적성 있는 글쓰기를 시작할 수 있습니다.

## 7. 블로그 주제 찾기

그러면 어떤 글을 쓰는 것이 좋을까요?

1. 블로그 성격에 따른 글의 특성

블로그 글은 성격에 따라 크게 세 종류가 있습니다.

첫째는 홍보성 글입니다. 회사나 내가 하는 업종, 분야를 홍보하기 위해 운영하는 경우입니다.

둘째, 일상이나 경험, 생각을 말하며 사람들의 공감을 얻는 글입니다.

셋째, 네이버가 가장 좋아하는 정보성, 유용한 글입니다.

이 중에서 여러분은 어떤 글을 쓰시나요?

## 2. 블로그 주제 정하기

물론 어느 하나만 쓸 필요는 없습니다. 다양하게 써도 상관 없지요. 블로그의 본질인 '웹+로그, 일상을 웹에 적는 기록'이 라는 의미에서는요.

블로그를 처음 시작했다면 무엇이든 쓰는 게 좋습니다. 계속 쓰다 보면 어떤 글이 내게 잘 맞는지 알 수 있습니다. 저도 처음에는 일상으로 썼습니다. 읽은 책, 듣고 있는 강의에 관 해 썼지요. 계속 쓰다 보면 제가 좋아하고, 독자들도 좋아하 는 글의 교집합을 찾을 수 있습니다.

제 경우도 지금은 SNS 마케팅과 경제, 글쓰기에 대한 글로 집중하고 있습니다. 비움, 배움, 나눔에 대한 글을 쓰려고 하 지만 한 곳에 너무 많은 내용을 담는 것은 성장에 한계가 있 기 때문입니다.

힘들지만 내가 하고 싶은 일, 좋아하는 일, 잘하는 일, 이전 에 못 했다가 지금은 잘하는 일 등을 찾아가는 과정이 필요 합니다.

## 3. 메인 주제, 연재 주제, 취미·일상

네이버 블로그는 다음처럼 32개 주제로 분류합니다. 생각보다 종류가 다양하지요?

**네이버 블로그 주제별 분류**

| 대주제 | 엔터테인먼트·예술 | 생활·노하우·쇼핑 | 취미·여가·여행 | 지식·동향 |
|---|---|---|---|---|
| 1 | 문학·책 | 일상·생각 | 게임 | IT·컴퓨터 |
| 2 | 영화 | 육아·결혼 | 스포츠 | 사회·정치 |
| 3 | 미술·디자인 | 애완·반려동물 | 사진 | 건강·의학 |
| 4 | 공연·전시 | 좋은글·이미지 | 자동차 | 비즈니스·경제 |
| 5 | 음악 | 패션·미용 | 취미 | 어학·외국어 |
| 6 | 드라마 | 인테리어·DIY | 국내여행 | 교육·학문 |
| 7 | 스타·연예인 | 요리·레시피 | 세계여행 | |
| 8 | 만화·애니 | 상품리뷰 | 맛집 | |
| 9 | 방송 | 원예·재배 | | |

이 중에서 여러분이 쓰려고 하는 글은 무엇인가요? 메인 주제는 대부분 쉽게 정할 수 있습니다. 맛집 탐방, 여행, 반려동물, 드라마, 요리, 책처럼 내가 좋아하는 분야가 있습니다.

메인 주제는 내가 정말 좋아하는 분야로 정해야 합니다. 1년 365일 해도 지겹지 않은 것, 아무리 해도 또 하고 싶은 것으로요. 그래도 메인 주제 하나만으로 블로그를 끌고 가기는 쉽지 않습니다.

여행을 좋아한다고 1년 365일 여행 갈 수는 없습니다. 책을 좋아한다고 매일 도서 리뷰를 싣는 것도 만만치 않지요.

김동석 강사는 여기에 연재나 취미 글을 추가하라고 말합니다. 이것은 체류 시간과 관련 있습니다. 누군가 내가 쓴 '강남역 맛집'을 찾아왔다면, 그 글 하나만 보고 나갈 가능성이 큽니다. 강남역 맛집을 찾아온 사람이 내가 쓴 부산 맛집, 목포 맛집에 대한 다른 글들을 읽지는 않습니다.

반면에 연재 글이나 취미 글은 다른 글을 더 읽을 가능성이 큽니다. 제가 블로그에 관해 쓴 글에 <함께 읽으면 좋은 다른 글>들을 링크로 걸면, 관련 글들도 함께 읽는 경우가 많습니다. 그 분야에 관심을 가진 사람들이니까요. 자연히 블로그 체류 시간이 늘고, 네이버는 내 블로그가 유용한 정보를 담고 있고, 사람들이 좋아하는 곳이라고 인식합니다.

**BLOG 주제 정하기**

| |
|---|
| 1. 매일 해도 좋아하는 주제를 메인 주제로 확정 |
| 2. 추가로 연재 주제 작성 |
| 3. 취미 주제로 확장 |
| 4. 꾸준히 사람들에게 도움이 될 정보성 글 발행 |
| 5. 열심히 소통 |

위의 5가지를 꾸준히 한다면 성장은 자연히 따라옵니다.

내게 맞는 분야를 찾으면 관련된 글에 집중해 계속 쓰는 것이 좋습니다. 특히 인플루언서를 목표로 한다면 최소 3주에서 한 달 정도는 내가 원하는 주제에 집중해서 글을 써야 선정에 유리합니다.

내가 좋아하는 것에 대해 공부하고, 책 읽고, 열심히 성장하는 과정을 적는 것도 의미 있습니다. 사람들은 전문가가 쓴 글만 보는 것이 아닙니다. 오히려 나와 비슷한 초보가 배우고, 성장해가며, 나누는 과정을 좋아합니다.

나도 할 수 있겠다는 생각을 갖게 하니까요. 저절로 그의 성장 과정을 응원하게 됩니다. 나보다 조금 앞선 초보 혹은 중수가 왕초보에게 가르쳐주는 시장이 점점 커지는 이유입니다.

# CHAP 03
# 블로그 왕초보 세팅

## **블로그 사용법 기초부터 소개하겠습니다.**

블로그 레이아웃 설정입니다. 이왕 열심히 쓴 글, 읽기 쉽고 보기 좋다면 더 좋겠지요? 모바일에서도 가능하지만 기본 세팅은 PC나 노트북에서 하는 걸 추천합니다.

처음 한 번만 설정하면 되니 힘들더라도 차근차근 따라 하기 바랍니다.

## 1단계 기본 설정

모든 레이아웃 설정은 블로그 첫 화면에서 시작합니다. 자신의 블로그에서 <관리·통계>를 클릭하세요. 다음과 같은 화면이 나옵니다.

## 1. 블로그 정보

제일 왼쪽에 보이는 <기본 정보 관리> 바로 밑에 있는 <블로그 정보>부터 볼까요? 블로그 명과 별명, 소개 글을 적으십시오. 소개 글은 이 블로그의 목적, 주제, 자기소개 등 자신이 어떤 사람인지 알려주는 부분입니다. 잘 쓴 사람의 글을 참고해서 꼭 적으십시오. 만약 체험단이나 리뷰, 강의 문의 등을 받기 원하신다면 소개 글 제일 밑에 본인의 이메일 주소나 연락처를 적으세요.

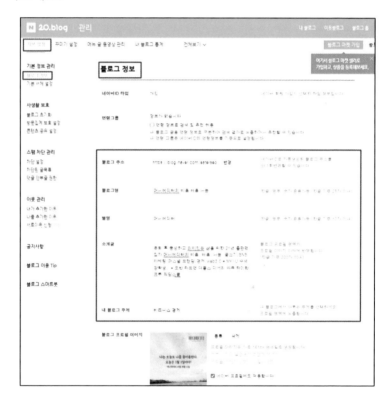

## 2. 주제

다음에는 <내 블로그 주제>를 선택합니다. 모두 32개의 분류가 있습니다. 나중에 얼마든지 바꿀 수 있으니 우선 내게 맞는 주제로 설정하십시오.

**네이버 블로그 주제별 분류**

| 대주제 | 엔터테인먼트·예술 | 생활·노하우·쇼핑 | 취미·여가·여행 | 지식·동향 |
|---|---|---|---|---|
| 1 | 문학·책 | 일상·생각 | 게임 | IT·컴퓨터 |
| 2 | 영화 | 육아·결혼 | 스포츠 | 사회·정치 |
| 3 | 미술·디자인 | 애완·반려동물 | 사진 | 건강·의학 |
| 4 | 공연·전시 | 좋은글·이미지 | 자동차 | 비즈니스·경제 |
| 5 | 음악 | 패션·미용 | 취미 | 어학·외국어 |
| 6 | 드라마 | 인테리어·DIY | 국내여행 | 교육·학문 |
| 7 | 스타·연예인 | 요리·레시피 | 세계여행 | |
| 8 | 만화·애니 | 상품리뷰 | 맛집 | |
| 9 | 방송 | 원예·재배 | | |

Tip.

카테고리별로 주제를 따로 설정할 수 있습니다. 전체 주제만 설정하고, 각 카테고리 주제는 안 쓰는 경우가 많은데, 꼭 개별로 설정하기를 바랍니다. 제 경우에 전체 주제는 <일상·생각>이지만 배움, 나눔의 주제는 <교육·학문>으로, 북리뷰는 <문학·책>으로 설정합니다.

## 3. 프로필 이미지

마지막으로 블로그 프로필과 모바일 앱 커버 이미지를 넣고 저장하면 1단계가 끝납니다.

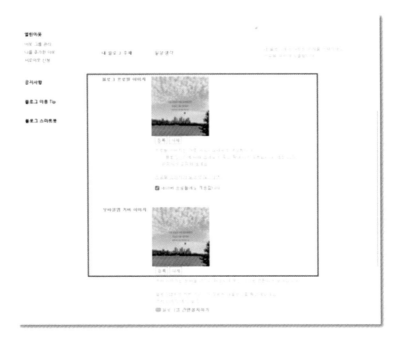

## 2단계 기본 서체 설정

다음은 기본 설정 세 번째 탭에 있는 <기본 서체 설정>입니다.

## 1. 서체

서체는 많지만, 가독성을 위해서 마루부리 위쪽 6개 중에서 설정하는 쪽을 추천합니다. 가독성이 가장 좋은 폰트를 정하십시오. 내가 좋은 서체보다 다른 사람이 와서 읽기 편한 서체로 설정하는 것이 좋습니다. 블로그를 책이라고 생각해 보세요. 아무 책이나 펼쳐 보십시오. 잡지는 고딕이나 명조체, 책의 본문은 대부분 명조 계열로 써 있습니다. 가장 가독성이 좋기 때문입니다. 블로그도 동일합니다.

# FONT 설정

기본서체, 나눔고딕, 나눔명조, 바른고딕, 나눔스퀘어, 마루부리 6개 서체 중 선택

## 2. 크기

글자 크기는 가능하면 16pt(포인트)나 19pt 중에서 고릅니다. 저처럼 노안이 있거나 정보성 글을 주로 쓴다면 19pt로 하세요. 중제목이나 소제목이 아니면 19pt 이상의 글씨는 설정하지 않습니다. 반대로 16pt 이하로 쓰면 너무 작아서 읽기 힘듭니다.

## 3. 글자 색

다음은 색상을 눌러 글자 색을 선정합니다. 가능하면 검은색이 좋습니다. 검정이 싫다면 바로 위 짙은 회색이나 그 위 조금 옅은 회색 정도로 설정하세요. 디자이너들은 검은색을 싫어하고 회색을 선호하는 사람이 많습니다. 가독성을 감안해서 설정하면 됩니다.

## 4. 행간

행간은 줄 간격을 설정하는 부분입니다. 가능하면 180~250% 사이에서 선택하세요. 제 블로그 글은 마루부리 200%입니다. 행간이 넓을수록 시원시원하게 읽힙니다. 정보성 글을 주로 쓰신다면 250% 추천합니다.

## 5. 정렬

제일 마지막은 정렬입니다. 왼쪽 정렬이나 양측 정렬을 선택합니다. 간혹 중앙 정렬을 사용하는 사람이 있는데, 블로그와 인스타그램은 속성이 다릅니다. 독자들이 잘 읽을 수 있어야 하므로 가능한 중앙 정렬은 사용하지 않는 편이 좋습니다.

## 3단계 레이아웃, 꾸미기 설정

모든 레이아웃 설정은 언제나 첫 화면에서 시작합니다. 우측 맨 위 <내 메뉴>를 누른 후 <관리·통계>를 클릭해도 수정할 수 있습니다.

# 1. 꾸미기

두 번째 탭에 있는 <꾸미기 설정>입니다. 스킨 선택을 해주세요.

## 스킨 설정

본인이 원하시는 스킨을 정하십시오. 참고로 너무 복잡하지 않은 것을 선택하는 것이 좋습니다. 바탕이 여러 색이거나 무늬가 많이 들어가면 읽을 때 피로를 느낍니다. 물론 내 맘에 맞는 것이 최고입니다.

벤치마킹하다 보면 상위 블로거일수록 깨끗한 흰색을 하거나 옅은 색으로 넣어 최대한 가독성이 좋게 선정합니다.

언제나 독자를 염두에 두십시오. 블로그를 개인 일기나 기록용이라면 원하는 대로 해도 괜찮습니다. 하지만 여러 사람이 내 글을 읽기를 바란다면, 특히 수익화를 염두에 둔다면 신경 써야 합니다.

## 2. 레이아웃·위젯

다음은 레이아웃·위젯 설정입니다. 갑자기 복잡한 화면이 나왔다고 걱정할 필요 없습니다. 내 블로그를 어떤 모양으로 보이게 할 것인가를 정하는 화면입니다.

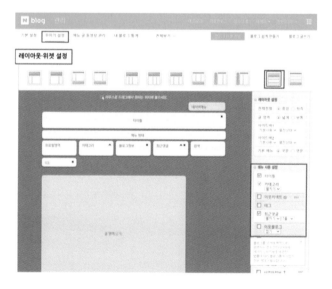

맨 윗부분을 보면 네모 박스가 많지요? 크게 1, 2, 3단 구성으로 나뉩니다. 왼쪽 4개는 2단 구성, 가운데 6개는 3단 구성, 오른쪽 2개는 일명 홈페이지형 구성이라고 하는 1단 구성입니다.

하나씩 눌러보며 맨 밑 <미리보기> 버튼을 누르면 어떤 식으로 바뀌는지 확인 가능합니다. 1단 구성을 추천합니다. 글에만 집중할 수 있기 때문입니다. 왼쪽은 저처럼 타이틀과 메뉴가 맨 위에 있는 것, 오른쪽은 위에는 글만 있고, 밑에 타이틀과 메뉴가 있는 쪽입니다. 본인에게 맞는 것으로 설정하세요.

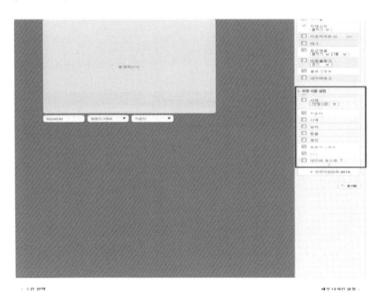

위젯 설정

오른쪽에 있는 <레이아웃 설정>은 전체 정렬은 중앙, 글 영역은 넓게를 추천합니다. 우측 중간의 <메뉴 사용 설정>에서 체크하셔서 내가 보여주기를 원하는 내용을 추가하면 됩니다.

지금은 방문자가 많지 않아도 점점 커진다면 방문자 수가 궁금해지겠지요? <방문자 그래프>를 설정하면 확인할 수 있습니다.

## 3. 메뉴 글 동영상 관리

## 메뉴 설정

다음은 메뉴 관리입니다. 제일 처음 메뉴 사용 관리와 상단 메뉴 설정을 합니다. 내 메뉴에서 어떤 카테고리가 보이게 할지 결정합니다. 미리 보기로 확인 가능하니 편하게 체크하며 확인해 보세요. 나중에도 얼마든지 수정하실 수 있으니 한 번에 완성하려 할 필요는 없습니다.

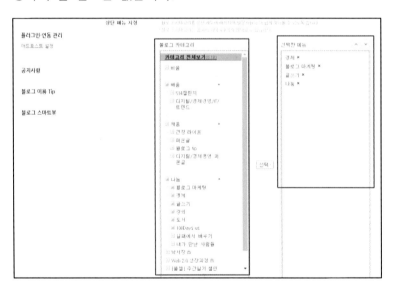

## 4.메뉴, 관리에서 블로그 설정

제일 강조하고 싶은 부분입니다. 페이지당 글 수는 반드시 1개로 바꿔 설정하십시오. 사람들이 글을 많이 읽게 하고 싶다고 3개, 5개, 10개로 설정하는 경우가 있습니다.

대부분 PC가 아닌 모바일로 들어옵니다. 손가락으로 화면을 올리며 글을 읽지요. 그런데 글이 여러 개가 설정되면 읽다 다른 글로 넘어가는 경우가 생깁니다. 이러면 아예 내 블로그에서 나갈 수도 있습니다.

## 5. 프롤로그

프롤로그 설정입니다. 아직 글이 많지 않거나, 사진을 많이 사용하지 않는다면 <글 강조>로, 맛집, 여행 등 사진을 많이 사용한다면 <이미지 강조>로 합니다.

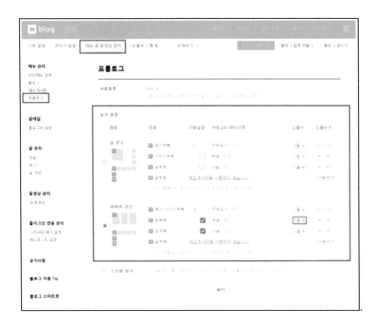

# 4단계 블로그 글쓰기 세팅 방법

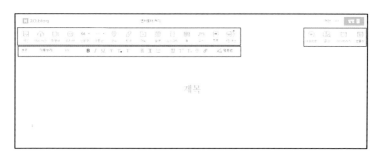

글쓰기 첫 화면

1. 사진

사진이나 캡처 이미지들을 불러올 때 클릭합니다.

2. SNS 사진

SNS에 올려진 사진을 가져올 때 사용합니다.

3. 동영상

모멘트처럼 동영상을 올릴 때 씁니다.

4. 스티커

4번은 본문 안에 네이버 스티커를 넣을 때 누릅니다.

5. 인용구

따옴표, 버티컬 라인, 말풍선, 라인 따옴표, 포스트잇, 프레임까지 6개를 인용구에 사용합니다. 적절한 사용은 가독성을 높여줍니다.

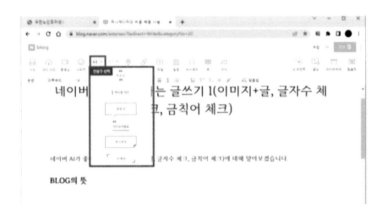

## 6. 구분선

구분선은 모두 8개가 있습니다. 저는 3번과 7번을 주로 사용합니다. 적절하게 쓰면 가독성이 좋아집니다. 줄 바꿈과 인용구, 글자 색과 함께 적절히 사용하면 읽기 편합니다.

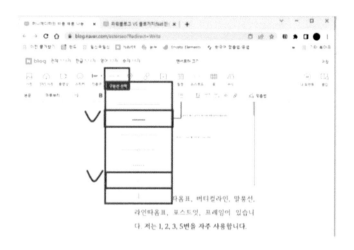

타옴표, 버티컬라인, 말풍선, 라연타옴표, 포스트잇, 프레임어 입습니다. 저는 1, 2, 3, 5번을 자주 사용합니다.

## 7. 장소

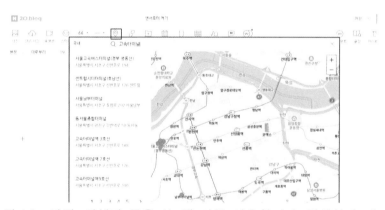

장소는 맛집, 여행지 글을 쓸 때 자주 사용합니다. 검색창에 내가 원하는 장소를 넣고 좌측 목록에서 원하는 곳을 선택한 후 확인을 누르면 블로그 글 안에 장소를 삽입할 수 있습니다.

## 8. 링크

사슬 모양은 링크입니다. 다른 글이나 영상을 글 안에 넣을 때 사용합니다. 링크를 누르면 나오는 창에 인터넷 주소를 넣고 확인을 누르면 됩니다.

링크 주소를 복사한 채로 링크를 클릭하면 복사한 링크가 자동으로 주소창에 들어갑니다. 두 번째 칸에 인터넷 주소를 넣고 확인을 누르면 링크가 들어갑니다. 블로그, 뉴스, 유튜브 영상 등 무엇이든 가능합니다. 파일은 파일을 첨부할 때, 나머지는 필요에 따라 넣습니다.

링크 입력

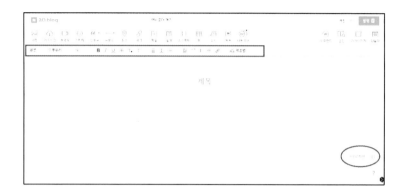

다음은 두 번째 줄에 있는 본문 세팅입니다. 2단계에서 한 것처럼 관리에서 기본으로 세팅할 수도 있고, 이렇게 글쓰기 화면에서 매번 조정할 수도 있습니다.

## 9. 본문

본문, 소제목, 인용구를 선택할 수 있습니다.

## 10. 서체

2번째 마루부리를 누르면 모두 9개의 서체를 선택할 수 있습니다. 기본 서체, 나눔고딕, 나눔명조, 나눔 바른 고딕, 나눔 스퀘어, 마루부리, 다시 시작해, 바른 히피, 우리 딸 손글씨. 가독성을 위해 파란색 6개 서체 중에서 선택하십시오.

## 11. 글자 크기

크기는 가능한 16이나 19pt로 합니다. 굵기, 이탤릭체, 밑줄, 취소선, 글자 색, 바탕색을 고를 수 있습니다.

## 12. 정렬

정렬은 왼쪽 정렬, 오른쪽 정렬, 중앙 정렬, 양측 정렬이 있습니다. 가능한 양측 정렬이나 왼쪽 정렬을 선택하고, 중앙 정렬은 피하십시오.

## 13. 글쓰기 설정

PC보다 스마트폰에서 보는 사람이 훨씬 많습니다. 이를 위해 글쓰기 기본은 모바일로 한 후 글을 쓰십시오. PC에서 글을 쓰신다면 우측 아래쪽에 있는 아이콘을 클릭하십시오. 누를 때마다 PC 화면, 태블릿 화면, 모바일 화면으로 변환됩니다.

니다. 가능한 양측 정렬이나 왼쪽 정렬을 선택하시고, 중앙 정렬은 사용하지 마십시오.

중앙정렬 글

자, 제가 야심차게 썼던 글입니다. 가능한 단문으로 짧게 쓰면서 중앙정렬로 썼지요. PC에서 보면 아무 문제 없습니다.

그런데 문제는 모바일입니다. 사람에 따라 노안이 오신 분은 글자를 크게 하고, 젊은 사람은 작게 쓰지요. 아래처럼 모바일에서

이처럼 크게 나오지요.

마지막으로 글을 쓴 후에 맞춤법 검사 꼭 하십시오. 글자 개수 확인과 금칙어 검사까지 마치고 나서 글을 발행합니다. Chap 4. 참고하십시오.

## 5단계 발행 설정

이번엔 화면 우측 위에 있는 발행을 누르면 카테고리, 주제, 공개 설정, 발행 설정, 태그 편집, 발행 시간, 공지사항으로 등록이 있습니다.

## 1. 카테고리

이 글이 어디에 속하는지 내 글의 카테고리 중에서 선택합니다.

## 2. 주제

기본은 <주제 선택 안 함>으로 되어 있습니다. 발행할 때 꼭 주제를 설정하십시오. 전체 카테고리뿐 아니라 글마다 개별적으로 32개 주제 중에서 설정할 수 있습니다.

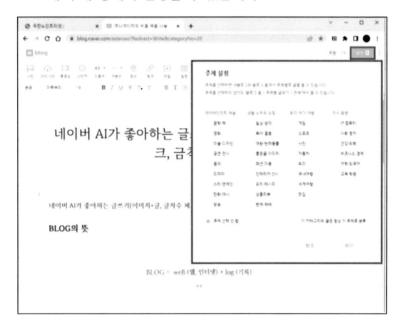

## 3. 공개 설정

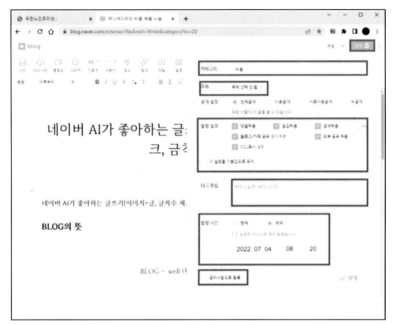

이 글을 누구까지 보게 할지 결정합니다. 상황에 맞게 체크하되, 비공개로 하면 글이 누락됩니다. 글 쓰지 않은 것처럼 인식한다는 뜻입니다.

발행

## 4. 발행 설정

정치나 연예인 글처럼 악플이 많이 달리지 않는 이상 공감이나 댓글 허용을 체크하십시오. 그래야 소통 점수가 올라가 블로그 지수(점수)가 높아집니다.

## 5. 태그 편집

해시태그는 본문 밑에 직접 달지 말고, 발행할 때 태그 편집에서 다십시오. PC에서는 괜찮지만, 모바일로 볼 때 본문 속에 해시태그를 누르면 해시태그 내용을 검색하는 창으로 이탈됩니다. 다른 곳으로 간 독자가 다시 내 글을 찾아 들어올 가능성은 별로 없습니다. 본문 밑에 직접 해시태그를 다는 것은 "빨리 내 글에서 나가주세요."라고 말하는 것과 같습니다.

## 6. 발행 시간

현재를 누르면 지금 바로 글이 올라가지만, <예약>을 누르면 원하는 날짜, 시간을 설정할 수 있습니다. 독자들이 많이 들어오는 시간에 맞춰 글을 쓸 수 없다면 예약 발행을 활용하시기를 바랍니다.

## 7. 공지사항

이곳을 체크하면 공지로 올라갑니다. 사용하지 않는 사람도 있지만, 반대로 너무 많은 글을 공지하는 사람도 있습니다. 이벤트, 전자책 발행, 자기소개, 블로그를 쓰는 이유 등 꼭 필요한 경우만 사용하십시오.

# CHAP 04
# 블로그 로직, 블로그 지수 이해

1. 네이버 블로그 로직 이해하기

## 검색로직 (알고리즘) 이란?

- 사용자의 요청에 따라 검색된 정보들의 노출순위를 결정하는 것
- 출처를 평가하는 알고리즘 + 문서 자체를 평가하는 알고리즘

| C-Rank | D.I.A | D.I.A + (플러스) |
|---|---|---|
| 블로그 자체의 신뢰도와 인기도를 기반으로 노출순위를 결정 | 문서 자체가 담고 있는 내용을 분석하여 노출 순위를 결정 | 질의의 문맥상 적합한 단어를 가졌는지 분석하여 노출 순위를 결정 |

최광자 강사, 타이탄사관학교 중

네이버 검색 Logic은 크게 C-Rank와 D. I. A, 그리고 D. I. A+(플러스), 3가지가 있습니다.

## 1. C-Rank _ 글의 신뢰도, 인기도

이 중에서 C-Rank는 블로그 글의 노출을 결정하는 핵심 로직입니다. 특정 주제에 대해 얼마나 깊이 있는 좋은 콘텐츠를 꾸준히 생산해 내는가를 중시합니다.

> 1. 특정 분야에 대한 깊이 있는 문서를 꾸준히 작성
>
> 2. 이웃과 활발하게 소통하면서 운영
>
> 3. 주제별 C-Rank 상승 요소인 신뢰도와 인기도가 누적
>
> 4. 해당 주제에 관련된 검색 결과에서 더 상위에 노출될 수 있다.

네이버 공식 블로그 내용

C-Rank 높이는 Writing 방법 3

1. 신규 블로그는 핵심 주제에 집중한다.

2. 제목과 본문의 연관도를 높이고, 방문자의 니즈를 충족시키는 좋은 글로 체류 시간을 높인다.

3. 무료 사이트에서 가져온 이미지나 저화질 이미지 사용을 줄이고, 가급적 고화질 이미지, 나만의 이미지를 사용한다.

## 2. DIA 알고리즘

C-Rank는 오랫동안 글을 써온 사람들에게 유리합니다. 블로그

신뢰도를 아직 확보하지 못한 초보 블로거에게는 기회가 거의 없습니다.

이에 불만을 토로하고 이탈하는 신규 블로거들을 잠재우기 위해 나온 것이 DIA 알고리즘입니다. 사용자가 선호하는 문서의 특징을 인공지능이 학습합니다. 새로 만들어진 문서에서 A.I.가 선호하는 특징이 발견되면 좋은 문서로 판단하지요. 즉 인공지능에 좋은 문서를 학습시킵니다. 발행된 글들에서 이런 선호 특징들을 발견하면 그 문서를 좋은 문서라고 판단한다는 것이 DIA logic의 핵심입니다.

---

DIA 로직이 좋아하는 글 TOP 7

1. 주제에 대해 구체적이고 전문적인 단어 사용

2. 실제로 경험한 내용 (체험-구체적 가격, 운영시간, 주차장, 교통)

3. 정보당 최소 500자 이상, 연관성 있는 사진 1장 이상 포함

4. 사용자 질문에 답을 주는 글 : ~는 방법, ~하는 순서, ~하는 이유

5. 특히! 제목과 본문이 일치할 것

1) 핵심 키워드 제목·본문 모두 반복

2) 핵심 키워드는 제목 내에서 1회만 반복할 것

---

> 3) 문장식 제목 대신 키워드 나열
>
> 6. 공감과 댓글이 많이 달린 글
>
> 7. 체류시간이 긴 글

## 3. DIA+ 알고리즘

기본적으로 DIA 로직에서 업그레이드되었습니다. 광고글과 낚시글, 스팸 등을 싫어합니다. 사용자의 검색 의도(질의 의도)를 분석해서 이를 더 충족하는 문서를 검색 결과에 노출해 줍니다. 아직은 명확하게 소개된 것이 없어 추론할 수밖에 없습니다.

## 2. 블로그 지수

> 블로그 지수
>
> 기록에 참여하면서 생기는 점수

김동석, <실전 수익형 블로그로 업그레이드하기> 중에서

블로그 지수를 높이려면 지킬 것은 지키면서 꾸준히 하는 것이 중요합니다. 블로그 지수는 글과 사진의 영향으로 변동합니다. 네이버가 공식적으로 말하지는 않지만, 관련 도서나 강좌에서 비슷하게 말하는 내용입니다. 일반부터 최적 3단계까지 나누지요.

네이버 블로그 등급

일반<준최 1~6단계<최적 1~3단계

최고 순위 - 최적 3단계

블로그 지수 4

활동성 지수, 인기도 지수,

주목도 지수, 반응 지수

위와 같이 4가지로 나눕니다. 글을 쓴 후 4시간 이내, 특히 1시간 이내에 얼마나 많은 사람이 와서 보고, 댓글과 공감을 남겼느냐가 매우 중요합니다.

1. 활동성 지수

블로그 운영 기간, 포스트 수, 글쓰기 빈도, 최근의 활동성이 포함됩니다. 모든 방문자들과 공유 할 수 있는 전체 공개 글만 대상이며, 직접 작성한 글만 포함됩니다. 즉 스크랩하거나 공유한 글은 제외합니다.

2. 인기도 지수

방문자 수, 방문 수, 페이지뷰, 이웃수, 스크랩 수가 포함됩니다. 같은 방문자가 여러 번 방문하거나(방문자 수와 방문 수), 한 번의 방문으로 포스트를 얼마나 보고 가는지(방문 수와 페이지뷰)를 세부적으로 분석합니다.

3. 주목도 지수

블로그 홈의 주목받는 글과 동일한 주목도 지수를 활용합니다.

내용이 충실하고, 많은 방문자가 글을 읽고, 댓글과 공감을 남길수록 주목도 지수가 올라갑니다.

## 4. 반응 지수

댓글, 엮인 글, 공감, 조회, 스크랩 등 글 단위의 반응 지표를 활용합니다. 각각의 반응이 내가 남긴 것인지, 이웃이 남긴 것인지, 타인(서로이웃도, 이웃도 아닌 사람)이 남긴 것인지에 따라 다르게 반영됩니다.

내 글에 달린 댓글에는 답을 하지 않고, 다른 사람 글만 열심히 찾아가서 댓글을 다는 사람이 있습니다. 강사님은 이런 행위를 한 마디로 '허튼짓'이라고 말했습니다. 소통할 시간이 없다면 차라리 내 글에 달린 댓글에 답을 달고, 다른 사람은 찾아가지 않는 쪽이 낫다고요. 물론 극단적인 예지만, 내 글에 달린 댓글에 꼭 답하며 소통하시기를 바랍니다.

## 3. 금칙어(위험 키워드) 검사

### 금칙어(禁飭語)

불건전성 따위의 이유로 사용하지 못하게 하는 말. 포털 사이트나 게임 내 채팅 따위에서 사용할 수 없도록 검색을 차단한 표현으로 비속어나 욕설, 음란성이 강한 단어, 저작권법에 위배되는 단어 따위가 포함된다. 이용자는 금칙어가 들어간 글을 웹으로 전송할 수 없다. - 네이버 국어사전 글을 쓸 때 꾸준히 쓰면서 지켜야 할 것이 있습니다. 네이버가 원하는 글쓰기를 해야 한다는 것입니다. 아래와 같은 부분을 위험 키워드라고 하며 주의할 사항입니다.

## 이용제한 게시물

불법성 게시물, 음란성 게시물, 청소년유해 게시물, 개인정보노출 게시물, 저작권침해 게시물, 홍보성 게시물, 비방·비하·욕설 게시물, 서비스 품질 저해 게시물, 악성코드 유포 게시물, 불법 상품판매 게시물, 불법촬영물, 도박성 단어, 상업적 표현, 비속어, 사행성 키워드, 유해 키워드, 과대 광고, 의도적 반복, 유해 단어, 특정패턴, 의료법 위반, 부자연스러운 문장, 성적인 단어
- 네이버 고객센터  help.네이버.com

이용제한 게시물 유형 확인

네이버 블로그와 포스팅 지수는 네이버 AI가 판단합니다. 즉 사람이 아닌 로봇의 기준입니다. 의도적인 키워드의 반복도 위험 키워드로 분류될 수 있습니다. 네이버 AI가 싫어하는 단어는 사용하지 말라는 뜻입니다.

<금칙어검사> 사이트를 즐겨찾기 하십시오. 글을 쓰고 나서 맞춤법 검사를 마친 후, 꼭 금칙어 검사를 해서 수정하는 습관을 들여야 포스팅 누락이나 저품질을 막을 수 있습니다.

사이트에 들어가면 아래와 같은 빈 창이 나옵니다.

이곳에 블로그 글을 복사해서 붙여 넣고<scan>을 클릭하면 결과가 나옵니다. '금지어 위반 목록'을 보고 수정하십시오. 띄어쓰기도 포함해서 걸리며 예상치 못한 단어들이 꽤 있습니다.

금지어 위반 목록을 볼까요?

1. '내가 쓰고자 하는 글'-> 음란성 단어

2. '하더라' -> 직접 해본 경험적 어구가 아니다.

3. '판매'-> 홍보성 게시물

4. 광장시장에서 먹은 '마약 김밥" -> 범죄 위험 문구

5. "강의는 총 20강" -> 무기, 범죄 위험 문구

글에서 <Ctrl + F> (컨트롤 키와 'F' 키)를 동시에 누르면 찾기 창이 나옵니다. 위반 단어들을 찾아서 문제없는 글로 수정하십시오.

체험단 글을 쓰실 때 주의하십시오. 판매, 홍보 내용이 많으니 지수가 떨어질 수밖에 없습니다. 특히 글과 사진을 모두 줄 테니 그대로 사용하라는 제안은 절대 금물입니다. 똑같은 글과 사진을 여러 사람이 사용해 올리니 지수가 확 떨어집니다. 몇만 원 벌겠다고 썼다가 애써 쌓아온 블로그가 저품질 나락에 빠져 힘들어하는 분들 많이 봤습니다.

4. 글자 수 체크

글을 1500자 내외로 써야 좋다더라는 말씀 들으셨나요? 네이버에서 '네이버 글자수 세기'라고 검색해 보세요. 공란에 넣고 엔터 치면 글자 개수가 나옵니다. 공란 포함, 제외 개수가 나오니

바로 확인 가능합니다.

가능하면 1000자 이상은 되는 것이 좋습니다. 글자 수 세기와 금칙어 사이트는 즐겨찾기 해 두십시오. 글 쓴 후에 언제나 이 두 가지 체크를 반드시 하는 것을 습관 들이면 좋습니다.

이미지는 2개만 있어도 됩니다. 게다가 지금은 챗GPT 4, 빙챗 등 이미지를 그려주는 AI가 많으니 더 편해졌습니다.

# CHAP 05
# 네이버가 좋아하는 글쓰기

## 1. 좋은 콘텐츠와 체류 시간

좋은 콘텐츠는 사용자가 알고 싶어하는 정보를 알려 주는 문서입니다. 그런데 이런 정보들을 모두 네이버가 제공할 수 없으니, 대신에 이런 유익한 글을 제공하는 창작자를 상위노출해 주는 것입니다.

앞서 말한 로직들은 이런 정보가 풍부한 문서들을 잘 걸러내노출하기 위한 도구들입니다. 다양한 검색 로직이 존재하지만, 결국 사용자의 반응을 직관적으로 파악할 수 있는 것은체류 시간입니다.

인공지능은 사람들의 궁금증을 해소해 주거나, 원하는 걸 얻게 해 주는 글을 좋아합니다. 사용자들이 오래 머물며 읽게하는 글입니다. 구체적인 글, 정보를 풍부하게 담고 있는 글이 핵심입니다.

## 2. 블로그 방문자(조회수) 늘리는 방법

내가 쓴 글을 누가 볼까요? 서로이웃과 이웃을 합쳐 내가 추가할 수 있는 인원은 5,000명뿐입니다. 이웃 중에서 10% 정도 글을 보면 많이 보는 것입니다.

> **방문자가 늘기 위한 2가지 방법**
>
> 1. 나의 이웃이 내 글을 보려고 방문한다.
>
> 2. 검색할 때 내 글이 노출되어 방문한다.

결국 블로그가 성장하려면 외부 사람이 찾아와서 내 글을 읽어야만 합니다. 내 글이 검색에 노출되어야 가능하지요.

상위 블로그가 되거나 blog로 수익화를 얻으려면 정보성 글을 써야 합니다. 네이버의 본질은 검색 엔진이라는 것을 기억하십시오. 사람들이 검색할 만한 글, 궁금한 것을 알려주는 글을 써야만 합니다.

그렇다면 맛집 탐방, 여행 내용을 쓰더라도 정보성 내용이 들어가야 합니다. 교통편, 주차장 여부, 메뉴, 음식 맛, 좋은 점, 나쁜 점, 아이를 위한 시설 등 사람들이 알고 싶어 할 내용을 넣어야 한다는 뜻입니다. 어떤 글이든 마찬가지입니다.

새벽 기상 OOO일, 99일 차 독서, OOO 헬스장 … 이런 유의 글은 쓰지 말아야 하는 이유기도 합니다. BLOG가 성장하기를 바란다면요. 제목에 이렇게 동일한 글이 반복되면 스팸으로 걸려 아예 누락될 수 있습니다.

검색에 노출될 가능성도 없습니다. 무엇보다 나에 대해 전혀 모르는 사람이 와서 이런 글을 읽고 싶을까요? 제목과 내용이라도 바꿔 올려야 합니다. 인증을 위해 꼭 필요하다면, 사람들에게 무언가 도움이 될 만한 글을 추가로 넣어야만 합니다.

## 1. 블로그 페이지 당 글 개수를 1개로 설정하기

<블로그> 페이지당 글을 1개로 설정하십시오. 페이지 당 글이 1개이든, 10개이든 상관없이 조회수(PV)는 1로 인식합니다. 내 블로그에서 체류 시간과 조회수를 늘리려면 당연히 페이지당 글이 1개만 있는 것이 유리하겠지요? PV뿐 아니라 가독

성 면에서도 글은 1개로 설정하는 편이 좋습니다. 글이 많으면 모바일에서는 손가락을 위로 스크롤 하며 읽다가 다른 글로 이탈될 수도 있습니다.

## 2. 목록보기를 목록열기, 5줄 보기로 해놓기

<블로그>에서 아랫부분 빨간색 네모 <목록보기>에서 '목록열기'로 바꾸고 5줄 보기를 클릭합니다. 다른 글도 읽어볼 수 있게 목록을 펼쳐 놓는 것입니다.

내가 어떤 글을 썼는지 볼 수 있으니 방문한 사람들이 관심 가는 다른 글을 더 읽어 PV를 높일 수 있습니다.

## 3. 내 글에서 관련 글 링크로 연결하기

내 글 속에 연관성이 있는 나의 다른 글을 링크로 연결합니다. 이 방법은 조회수뿐 아니라 체류 시간을 늘리는 데도 효과적입니다.

# CHAP 06
## 30분 만에 쉽고 빠르게 글쓰기

블로그 글 쓰기 어떠신가요? 저도 아직 힘이 듭니다. 네이버 블로그는 글쓰기 고민을 덜어주는 유용한 장치를 제공합니다. 발행 밑에 있는 4개 중 '글감'과 '템플릿'입니다.

## 1. 글감 활용

어떤 내용을 써야만 할지 고민일 때 활용하시면 좋습니다. 사진, 책, 영화, TV, 공연·전시, 음악, 쇼핑, 뉴스가 있습니다. 이곳에서 바로 네이버 자료를 검색할 수 있어 거의 모든 내용을 찾을 수 있습니다.

## 종류

사진, 책, 영화, TV, 공연·전시, 음악, 쇼핑, 뉴스

### 1. 영화

영화를 누르면 박스오피스 1~10위까지 보여줍니다. 만약 찾는 영화가 없다면 돋보기 부분에 넣어서 검색하면 됩니다. 아래처럼 원하는 영화를 누르면 바로 글 안에 삽입됩니다.

### 2. 책

책은 기본으로 베스트셀러 297권을 보여줍니다. 돋보기에서 검색하면 원서도 쉽게 추가됩니다.

### 3. TV

TV는 추천방송 13개가 나옵니다. 드라마나 엔터테인먼트 모두 찾아 넣을 수 있습니다.

## 4. 공연·전시

최신 공연 전시 20개가 나옵니다. 원하는 공연이나 전시도 돋보기에서 검색해서 얼마든지 삽입 가능합니다.

## 5. 음악

최신 앨범 20개를 보여줍니다.

## 6. 쇼핑

쇼핑은 빈칸이라 놀라셨나요? 원하는 상품을 입력하면 수백 개, 수천 개 상품 목록이 길게 나옵니다.

## 7. 뉴스

인기 뉴스 233개를 보여줍니다. 다양한 신문 기사와 뉴스를 소재로 쓸 수 있습니다.

## 8. 사진

사진은 인기 사진 100개를 보여 줍니다. 여기서 사진을 넣으면서 글의 소재로 활용할 수 있지요. 또 한 가지, 그동안 이미지 넣을 때 어떻게 하셨나요? 정말 유용한 꿀팁을 알려 드릴게요.

<글감 - 사진>에서 위쪽 돋보기에 찾고 싶은 이미지 내용을 쓰면 이에 맞는 무료 이미지들을 찾아 줍니다. '노트북'이라고 치고 검색했더니 수많은 사진과 일러스트가 뜨네요. 일러스트를 눌렀더니 바로 글 안에 들어갑니다. 출처도 자동 입력됩니다. 단, 상업적인 사용을 하는 경우는 예외입니다. AI를 활용하면 저작권 걱정 없이 이미지를 만들어 삽입할 수 있습니다.

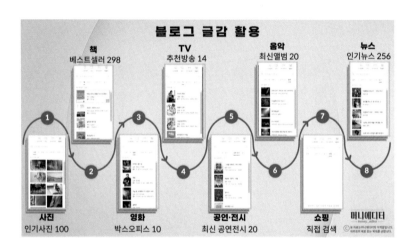

## 2. 템플릿 활용

우측 위에서 템플릿을 누르면 추천 템플릿, 부분 템플릿, 내 템플릿, 세 종류의 탭이 있습니다.

## 1. 추천 템플릿

추천 템플릿에는 협찬·리뷰, 여행 등 모두 19개의 멋진 디자인이 있습니다. 마우스를 사진 위에 두면 초록색으로 바뀌면서 왼쪽에 디자인을 보여줍니다. 맘에 드는 것을 골라 내용과 사진을 바꿔 넣으면 멋진 디자인의 글이 나옵니다.

**추천 템플릿**

협찬·리뷰/ 여행 2/ 리뷰 2/ 지식·정보 2/ 일기 3/ 순위 2/ 여행 2/ 레시피/ 영화/ 뷰티/ 서평/ 육아

## 2. 부분 템플릿

모두 11개의 디자인이 있습니다. 처음에는 디자인도 못하고, 보기 좋으니 추천 템플릿을 썼습니다. 그런데 틀 안에 있는 내용을 일일이 지우고 바꾸는 것이 불편했습니다. 부분 템플릿은 상대적으로 가벼워서 원하는 내가 스타일만 가져와 사용할 수 있습니다.

## 3. 내 템플릿

계속 글을 쓰다 보면 추천·부분 템플릿 사용이 오히려 불편해집니다. 나만의 틀을 만들어 사용하는 것이 편해지지요. 제 경우는 100일어스, 블로그 A to Z, 북 리뷰, 강의 리뷰, 514 챌린지 등 자주 사용하는 틀들을 만들어 저장해 두고 있습니다.

만드는 방법은 간단합니다. 예를 들어 지금 쓴 글을 저장해 두고 싶다면 내 템플릿 바로 밑에 있는 <+ 현재 글 추가>를 누르면 됩니다. 맨 위 박스에 이 글이 저장됐지요?

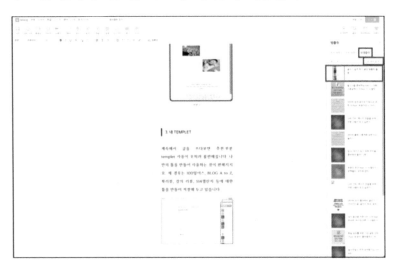

다음에 이런 글을 쓰고 싶다면 눌러서 사용하면 됩니다. 보통 저장할 때는 글은 거의 다 지우고 틀만 둔 채로 저장합니

다. 예를 들어 북 리뷰 할 때 이 템플릿을 사용하면 놓치지 않고 내용을 쓸 수 있습니다.

---

**책 리뷰**

1. 이 책을 선택하게 된 이유

2. 어떤 대상자에게 필요한 책인지

3. 작가 소개

4. 책의 중심 내용 및 글귀 3가지

5. 내 생각 정리(느낀 점 및 적용할 부분)

6. 책 구입 경로 및 글 삽입

7. 책 표지 넣기

위와 같은 내용이 있어서 도서 리뷰 때 중요한 부분을 놓치지 않고 쓰게 해 줍니다. 체험단, 카페 리뷰 등 각 상황에 맞춰 글의 논리 구조와 형식을 저장해 두면 좀 더 빨리 글을 쓸 수 있습니다.

## 3. 블로그씨 활용

글감이 없을 때 블로그씨 질문을 활용하는 것도 좋습니다. <From 블로그씨> 내용 중 쓸만한 내용이 생각나면 답변을 누르고 작성합니다. 잘 쓰면 아래와 같이 블로그 홈에서 <핫토픽>난에 선정되어 블로그 방문자도 늘어나는 기쁨을 누릴 수도 있습니다.

혹시 내 블로그에는 <From 블로그씨>가 없나요? 다음과 같이 관리에서 좌측의 글배달을 누르고, <블로그씨 질문>에서 '오늘의 질문 배달'을 배달로 체크하면 됩니다. 매일 다양한 질문을 해주니 글감이 없을 때 유용합니다. 잘 쓰면 <블로그 홈> 메인에 소개되어 많은 사람이 방문할 수도 있습니다.

# CHAP 07
# 블로그 수익화 첫 단계, 애드포스트

블로그 수익 파이프라인 첫 단계

많은 사람이 수익화를 바라며 블로그를 쓰기 시작합니다. 애드포스트 수익 인증 글을 종종 봅니다. 과자 하나, 계란 한 판 가격, 치킨 가격이라고 표현하기도 하지만 초보자 입장에서는 부럽기만 하지요.

1. 애드포스트란

애드포스트는 네이버 블로그에 붙는 광고를 말합니다. 내 글에 광고를 게재하고 네이버가 광고 수익을 배분해 주는 것입니다.

> 애드포스트
>
> 미디어에 광고를 게재하고
>
> 광고에서 발생한 수익을 배분받는
>
> 광고 매칭 및 수익 공유 서비스

-네이버 애드포스트 설명 중에서

글 중간이나 하단에 붙는 애드포스트 광고

2. 애드포스트 광고 승인 기준

애드포스트 광고 승인 기준

1. 블로그 개설은 최소 90일 이상

2. 전체 공개 콘텐츠 개수 50개 이상

3. 평균 방문자 수 100명 이상

이는 네이버에서 공식적으로 말한 부분은 아닙니다. 정확하게 명시된 부분은 미성년자(만 19세 미만)가 아닌 개인이나 사업자여야 한다는 것, 광고 매체로서의 콘텐츠 적합성과 성인 콘텐츠, 선정적, 도박, 마약, 폭력성 등 등록 제한 콘텐츠 제외된다는 부분입니다.

실제로 이웃 중에서는 글 50개 쓰고, 개설한 지 두 달도 안 돼서 승인받은 분도 있습니다. 그만큼 글들이 좋았다는 의미입니다.

미디어 공통 등록 기준

## 1. 공통 등록 기준

회원의 미디어에 대한 광고 매체로서의 품질을 평가하기 위해 아래 내용을 종합적으로 심사합니다.

- 미디어 운영기간 및 이용 가능한 전체 공개 콘텐츠의 수

- 방문자 수(UV), 페이지뷰(PV) 등 미디어 활동성 지표

- 광고 매체로서의 콘텐츠 적합성, 등록제한 콘텐츠 존재 여부

애드포스트 등록 기준 중에서

## 2. 방문자 수와 페이지 뷰 등 미디어 활동성 지표

제가 처음 신청했을 때 가장 높은 장벽은 방문자 수 100명이었습니다. 개설 기간과 등록제한 콘텐츠는 대부분 문제가 될 것이 없습니다. 글은 쓰지 않았어도 네이버 메일이 있으면 이미 블로그가 개설된 경우가 많기 때문입니다. 포스팅 개수도 시간이 지나면 해결됩니다. 그런데 방문자 100명. 열심히 글을 써도 하루 몇십 명도 들어오지 않는데, 언제나 가능할지 까마득했습니다.

이 시간을 당길 방법은 서로이웃 추가와 진정 어린 소통입니다. 이웃 추가 문구도 중요합니다. 서로이웃 추가 문구에 자신을 소개하고, 상대방과 나와의 공통점을 알려야 하지요.

제 경우 자신을 "굿쨱월드, 514 챌린지, MKYU, 타이탄크루" 등이라고 소개하는 사람은 바로 추가합니다. 지금은 서로이웃 수가 다 차서 불가능합니다. 가능한 나와 비슷한 수준의 블로거를 추가하는 게 더 좋습니다. 서로이웃 추가 및 소통법은 Chap 8을 참고하십시오.

## 3. 페이지뷰

그런데 포스팅 개수가 50개가 넘고 방문자가 100명 이상이 돼도 승인되지 않는 경우가 있습니다. 이런 경우는 하루에 내 블

로그 글이 노출되어 읽는 페이지뷰(PV)가 모자라기 때문입니다.

페이지뷰는 바로 네이버 통계에서 확인할 수 있는 '조회수'입니다. 방문자 수와 조회수가 다르다는 사실은 아시지요? 어떤 사람이 내 블로그에 방문했다가 3개의 글을 읽고 간다고 해 봅시다. 그러면 방문자 수는 1명이지만, 조회수는 3입니다. 방문자 수보다 조회수가 높다면 '내가 사람들에게 도움이 되는 글을 잘 쓰고 있구나'를 알 수 있습니다. PV를 늘리려면 읽을 만한 내용이 많아야 한다는 뜻입니다.

3. 네이버 애드포스트 신청 방법

https://adpost.naver.com/

네이버 애드포스트에서 로그인 후 개인으로 신청하면 됩니다. 물론 사업자로도 신청할 수 있습니다.

연결할 미디어는 본인 블로그를 연결합니다. 최대 블로그 3개, 포스트, 인플루언서까지 모두 5개 사이트를 연동할 수 있습니다. 신청 후 1주일 이내에 탈락 여부를 알리는 메일이 옵니다.

일단 신청해 보고, 떨어지면 또 알려드린 방법대로 하면서 계속 시도해 보십시오. 애드포스트가 처음 승인됐을 때의 기쁨이 생각나네요. 내 힘으로 하나의 성취를 이룬 느낌이었으니까요.

의문 사항이 있으시면 고객센터를 클릭해 확인하시기를 바랍니다.

[자주 찾는 질문 안내]

https://help.naver.com/service/30005/bookmark/20033?lang=ko

## 애드포스트 고객센터

애드포스트 소개

### 애드포스트 가입 조건 안내

만 19세 이상의 네이버 이용자라면 개인, 개인사업자, 영리법인 모두 애드포스트에 가입할 수 있습니다.

수입을 지급받기 위해서는 관련 법령에 따라 제세공과금(소득세, 주민세 등)을 부담해야 합니다.

미성년자는 별도 확인 절차가 요구되므로 정책상 만 19세 이상의 성인으로 가입 대상을 한정합니다.

※ 비영리법인, 면세사업자인 경우 및 애드포스트를 탈퇴한지 30일이 지나지 않은 경우 가입이 불가합니다.

단, 애드포스트 가입 후 광고를 게재하려는 미디어를 등록 신청해야 합니다.

애드포스트에서 정한 일정한 기준을 충족해야 미디어 등록이 완료됩니다.

▶ 미디어 등록 방법

1. 개인

아이핀 또는 본인 명의 휴대폰 번호로 본인 확인 후 가입 가능합니다.

※ 해외 신분증으로 본인 확인 시 가입이 불가합니다.

2. 개인사업자

사업자 정보 심사(사업자 정보 유효성 및 계정과 사업자 정보 일치 여부 확인 등) 후 가입 가능합니다.

※ 사업자등록증 상 대표자 성함과 동일한 명의의 실명 인증된 네이버 아이디로 가입 가능합니다.

3. 영리법인

단체 회원 계정으로 가입 가능합니다.

※ 애드포스트에 개인회원으로 가입한 상태에서 법인 사업자로 전환할 수 없습니다.

외국인 또는 해외 거주 내국인이라면 아래 도움말을 참고 바랍니다.

▶ 해외 거주 내국인 및 외국인 가입 방법

# CHAP 08
# 블로그 서로이웃 추가

## 1. 서로이웃이란?

저는 블로그 성장의 2개 축이 독자에게 도움이 되는 좋은 글과 애정이웃 (찐이웃, 서로이웃)과의 소통이라고 생각합니다. 네이버 블로그 역시 대부분의 SNS처럼 팔로우와 팔로워 개념이 있습니다.

-네이버 블로그 고객센터-

이웃: 관심 블로그를 즐겨찾기 설정한 것으로 볼 수 있습니다. 글이 업데이트되는 대로 알림을 받을 수 있습니다.

서로이웃: 지인끼리 신청과 동의 절차를 거쳐 맺는 관계입니다. 이웃은 자유롭게 추가할 수 있지만 서로이웃은 상대방이 서로이웃 신청에 동의해야 맺을 수 있습니다. 서로가 '이웃'으로 추가해도 '서로 이웃'이 아닌 서로의 블로그를 즐겨찾기 한 것이 됩니다.

이웃과 서로이웃, 그리고 내가 이웃 신청 중인 사람을 포함하여 최대 5천 명까지 추가할 수 있습니다. 이미 인원이 다 찬 사람은 서로이웃 추가를 할 수 없습니다. 상대방만 나를 이웃 추가할 수 있습니다. 상대방이 소통을 원하지 않아서 받지 않는 경우도 있습니다.

만약 나에게 들어온 서로이웃 추가(이하 서이추) 신청을 거절하면 그 사람과 나는 이웃 관계가 됩니다. 상대방은 내가 서이추를 거절했다는 것을 알 수 없습니다. 광고 때문에 온 것이 뻔하거나 기계적으로 돌린 것 같은 요청을 굳이 모두 수락할 필요는 없습니다. 물론 시작 단계라면 이런 분도 소중하지요.

---

이웃·서로이웃 추가 방법

1. 추가하고 싶은 블로그에 들어간다.

2. '+이웃추가'를 누른다.

3. 그 사람의 글을 보려면 '이웃',

　　양방향 교류를 하고 싶다면 '서로이웃'을 신청한다.

---

2. 서로이웃 Q & A

Q. 서로이웃 추가 할까요? 말까요?

서로이웃 추가를 열심히 하라고 하는 사람도 있고, 함부로 하지 말라고 하는 사람도 있습니다. 어느 쪽이 맞을까요? 결론부터 말하면 반은 맞고 반은 틀립니다.

블로그를 처음 시작하고 나서 열심히 글을 쓰기 시작합니다. 그런데 시간이 지나도 내 글을 보러 오는 사람이 없습니다. 애써 쓴 글의 조회 수가 0명, 1~2명이 계속된다면 정말 힘이 빠지겠지요.

블로그가 성장하는데 나와 소통하는 서로이웃은 큰 힘이 됩니다. 글을 쓸 때마다 공감과 댓글이 달리는 것이 얼마나 더 열심히 글을 쓰게 하는지 아시지요?

초반에 서로이웃 추가 신청이 왔을 때 정말 신기하고도 놀라웠습니다. 어떻게 나를 알고 신청했을까요? 너무 반갑고, 고마워서 모두 수락했습니다. 여러분의 예상처럼 대부분 광고업자였습니다.

이웃 수가 많아질수록 블로그 지수가 높아진다고 생각하는 사람이 계십니다. 사실 이웃 수는 지수와 별로 연관이 없습니다.

오히려 아무나 서이추를 하면 잠깐 들어왔다가 흥미를 잃고 바로 나가기 때문에 블로그 체류 시간을 확 떨어뜨려 지수를 낮출 수도 있습니다. 내 블로그에 전혀 방문도 하지 않고, 내 글을 읽지도 않는 이웃이라면 아무 도움도 되지 않습니다.

하지만 나에게 자주 방문해 글을 읽어주고, 공감해 주고, 계속해서 소통하는 이웃이라면 당연히 많으면 많을수록 좋지요. 이런 이웃을 많이 만들고, 내가 상대방에게 이런 이웃이 되는 것이 중요합니다.

## 3. 블로그 서로이웃 신청 팁

왜 내 서로이웃 신청에 수락을 잘 안 해줄까 고민하는 분 계시나요? 셋 중 하나일 것입니다. 첫째, 내가 성의 없이 신청한 경우, 둘째, 광고업체인 경우, 셋째, 내 글 중에 볼 만한 내용이 없는 경우입니다.

서로이웃 요청 메시지

제게 왔던 서로이웃 추가 요청 메시지를 가져왔습니다. 차이가 느껴지나요? 저도 이렇게 받으니, 이웃이 1만 명 이상인 파워블로거나 인플루언서라면 훨씬 더 많은 요청을 받겠지요? 수십 명에서 수백 명 단위로도 받을 겁니다.

여러분이라면 어떤 사람에게 수락하겠습니까? 시간 없으면 제일 먼저 지우는 것이 '우리 서로이웃 해요~'라는 기본 멘트로 보낸 내용입니다. 이 경우 둘 중 한 가지 생각이 듭니다. '몰라서 그런 거겠지?' '이 정도 기본 성의도 보이지 않으면서 왜 신청할까?'

제일 먼저 서로이웃 추가 문구부터 바꾸시는 쪽을 추천합니다. 먼저 자신이 어떤 블로거인지 소개하고, 이 블로그를 어떻게 알게 됐는지, 이웃이 되고 싶은 이유 등에 대해 적어야 합니다. 상대방이 읽자마자 내가 어떤 사람인지 알 수 있게 하는 것이 필요합니다.

> 부동산, 독서 N잡에 관심이 많은 OOO라고 합니다. 타이탄철물점님 통해 알게 되어 이렇게 서로이웃 신청드립니다. 서로이웃으로 앞으로 소통하고 긍정적인 영향을 주고받고 싶습니다.

제게 왔던 분의 서로이웃 추가 문구를 가져왔습니다. 당연히 수락했습니다. 제 경우에도 서이추 문구는 상대방에 따라 여러 개의 버전이 있습니다.

이런 식으로 상대방에 따라 나를 소개하는 문구가 달라집니다. 나만의 멋진 서이추 문구를 저장해두고 신청하시기 바랍니다.

## 4. 이웃 늘리기

여러분은 왜 블로그에 글을 쓰시나요? 내 가게나 회사를 홍보하려고? 내 일상을 기록하기 위해? 체험단이나 리뷰를 통해 조금이라도 생활비에 보탬이 되기 위해? 퍼스널 브랜딩이나 강의를 위해?

각자 이유는 다르겠지만 공통되는 것은 내 글을 많은 사람이 읽었으면 하는 소망이 있을 것입니다. 열심히 쓴 글을 아무도 보러 오지 않는다면 그것만큼 힘이 빠지는 일도 없지요.

그렇다면 어떻게 나와 맞는 사람들을 만나 함께 교류할 수 있을까요?

앞에서 블로그 성장의 두 축은 독자에게 도움이 되는 좋은 글을 쓰는 것과 애정이웃과의 소통이라고 말씀드렸습니다.

## 5. 내 글을 다른 사람이 어떻게 볼까?

사람들이 네이버에서 검색해서 나온 내 블로그 글을 보고 찾아옵니다. 이런 분이 계시다면 이 글을 보실 필요 없습니다. 이미 키워드 사용법이나 상위노출법을 안다는 뜻이니까요. 그렇지 않다면 내 글 알람을 한 서로이웃이 확인하고 오겠지요.

그런 이웃이 없다는 게 문제라고요? 그렇다면 직접 찾아가야 합니다. 내 글에 공감도 눌러주고, 댓글도 달아주고, 나도 상대방의 블로그에 언제나 진심 어린 반응을 할 사람을요.

## 6. 나와 결이 맞는 이웃 찾기

여러분이 블로그를 시작한 지 얼마 되지 않았다면 유명인이나 파워블로거, 인플루언서에게 서로이웃 추가를 요청하는 것은 도움이 안 됩니다. 인스타그램에서 유명인들은 우리가 팔로우하는 대상이지 그들이 우리를 찾아오는 경우는 없는 것과 같습니다.

지난번에 말씀드렸듯이 내가 신청할 수 있는 최대 인원은 서로이웃과 이웃을 합쳐 5,000명입니다. 이미 수만 명, 수천 명이 넘어 더 이상 서로이웃 추가를 받지 않는 분도 계실 것이고, 이분들은 일일이 이웃 글을 답방하면서 교류하지도 못합니다.

## 1. 블로그 홈에서 주제별 보기

내가 육아와 아이 성장, 교육에 대한 글을 주로 쓰는데 내 이웃은 모두 IT 리뷰하거나 여행하는 사람이라면? 친할 수는 있겠지만 내가 무언가 소개할 때 관심을 보이거나 사지는 않을 것입니다. 즉 나와 관심사가 맞는 이웃을 늘려야 한다는 뜻입니다.

나와 관심사가 맞는 이웃을 쉽게 찾는 방법을 알려드리겠습니다. 네이버 블로그 홈에 들어가세요. 주제별 보기에서 내 관심 분야를 클릭합니다.

32개 주제 중 나와 가장 맞는 분야를 찾아가세요.

**네이버 블로그 주제별 분류**

| 대주제 | 엔터테인먼트·예술 | 생활·노하우·쇼핑 | 취미·여가·여행 | 지식·동향 |
|---|---|---|---|---|
| 1 | 문학·책 | 일상·생각 | 게임 | IT·컴퓨터 |
| 2 | 영화 | 육아·결혼 | 스포츠 | 사회·정치 |
| 3 | 미술·디자인 | 애완·반려동물 | 사진 | 건강·의학 |
| 4 | 공연·전시 | 좋은글·이미지 | 자동차 | 비즈니스·경제 |
| 5 | 음악 | 패션·미용 | 취미 | 어학·외국어 |
| 6 | 드라마 | 인테리어·DIY | 국내여행 | 교육·학문 |
| 7 | 스타·연예인 | 요리·레시피 | 세계여행 | |
| 8 | 만화·애니 | 상품리뷰 | 맛집 | |
| 9 | 방송 | 원예·재배 | | |

올라온 글 중에 내 관심사와 맞는 내용인지 댓글과 공감 개수를 함께 보며 들어가 봅니다. 나와 비슷한 주제를 다루고 있고, 공감과 댓글 수가 많으면 사람들과 소통을 잘하는 사람이라는 뜻입니다. 그의 글들에 정성스러운 댓글을 여러 개 달고 서로이웃 추가를 신청합니다.

이때 이웃이 너무 많지 않은 사람이 더 좋습니다. 나와 비슷하거나 조금 높은 정도인 사람이 1차 목표입니다.

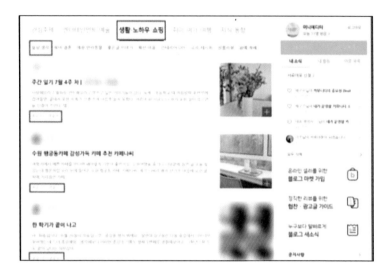

## 2. 블로그 홈에서 이달의 블로그 확인

네이버는 월별로 4~5개의 주제에서 <이달의 블로그>를 선정해 발표합니다. 내 주제에 맞는 분야를 찾아 들어갑니다. 이들이 직접적인 대상은 아닙니다. 공감이나 댓글이 많이 달린 분 블로그에 들어갑니다. 쓰는 분야에 따라 이웃 수에 비해 공감이나 댓글 수가 적은 사람이 있습니다. 우리가 찾는 것은 반대 사람입니다.

이른바 공감 맛집이라고도 하더군요. 이와 같은 글을 좋아한다는 뜻이니까 공감이나 댓글 단 사람들에게 서로이웃 추가를 요청합니다. 아니면 여기에 정성스럽게 댓글을 다신 분의 블로그에 가 보세요. 그들은 본인의 이웃들과도 그렇게 진심 어린 마음으로 함께하는 분일 가능성이 큽니다. 그분과 그분의 이웃들에게 서이추를 신청하세요.

이런 식으로 꼬리에 꼬리를 물면, 서이추 요청 대상은 얼마든지 찾을 수 있습니다. 계속 함께하고 싶은 사람들의 글에 정성 어린 댓글들을 달고 서이추를 요청하면 수락할 확률이 높습니다.

내 글에 진정 어린 댓글을 여러 번 다는 사람이 있다면 그 사람을 찾아가기 마련입니다. 서로이웃도 수락하고요.

# CHAP 09
## 블로그 통계 활용하기

네이버 블로그에서는 다양한 통계 기능을 제공합니다. 이 통계 기능을 잘 활용하면 블로그 운영에 큰 도움이 됩니다. 내가 글을 잘 쓰고 있는지, 내가 원하는 타깃층과 독자층이 맞는지, 독자들이 원하는 글이 어떤 것인지, 언제 발행하면 좋을지 등에 대해 알 수 있습니다. 이번 장에서는 블로그 통계 활용법에 대해 알아보겠습니다.

pc에서 제일 첫 화면 <관리· 통계>를 클릭한 후 4번째 탭에서 <내 BLOG 통계>를 클릭합니다.

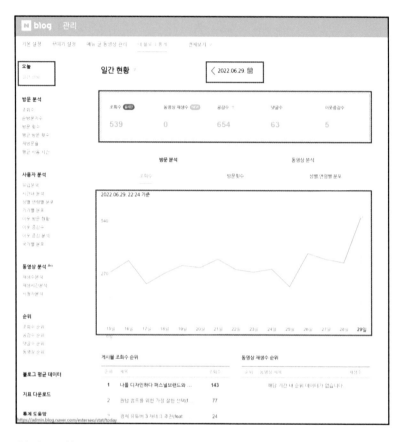

일간 조회수

## 1. 방문자 수와 조회수 분석

제일 먼저 보이는 것은 일간 현황입니다. 6월 29일 기준으로 조회수가 539회, 공감 수가 654회입니다. 아래에서 <방문 분석> 탭을 누르면 조회수, 방문 횟수, 성별·연령별 분포를 볼 수 있습니다. 그래프 아랫부분에서는 <게시물 조회 순위>와 <동영상 조회 순위>도 세부적으로 파악할 수 있습니다.

블로그 운영에서 가장 중요한 지표 중 하나는 방문자 수와 조회수입니다. 이 지표를 통해 블로그의 인기도를 파악할 수 있습니다. 방문자 수와 조회수가 증가하면 블로그의 인기도가 높아지고, 반대로 감소하면 인기도가 낮아집니다.

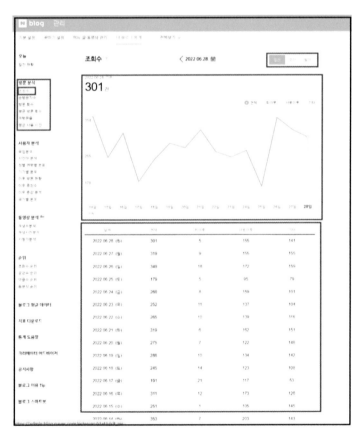

왼쪽 둘째 단락에 <사용자 분석>이 있습니다. 여기서는 <조회수>, <순방문자 수>, <방문 횟수>, <평균 방문 횟수>, <재방문율>, <평균 사용 시간>을 확인할 수 있습니다. 조회수는 다시 일간, 주간, 월간으로 그래프와 표로 상세하게 볼 수 있습니다.

## 2. 유입 경로 분석

블로그 유입 경로는 크게 검색 유입과 기타 유입으로 나뉩니다. 검색 유입은 네이버 검색 엔진을 통해 블로그에 유입된 경우, 기타 유입은 검색 엔진 외의 다른 경로를 통해 블로그에 유입된 경우를 말합니다.

인플루언서나 파워 블로거가 아닌 이상 내가 먼저 찾아가야 합니다. 글을 쓰기 전후에 열심히 이웃에게 찾아가 소통하십시오. 그러면 답방하러 오는 사람이 늘어납니다.

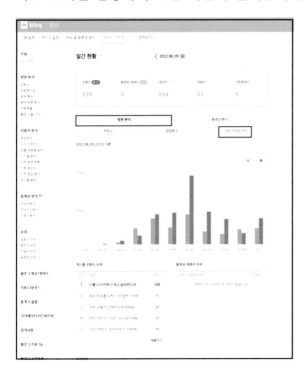

## 3. 사용자 분석

성별, 연령별, 기기별 등 다양한 기준으로 사용자를 분석할 수 있습니다. 이를 통해 블로그의 주요 사용자층을 파악하고, 이에 맞는 콘텐츠를 제공할 수 있습니다.

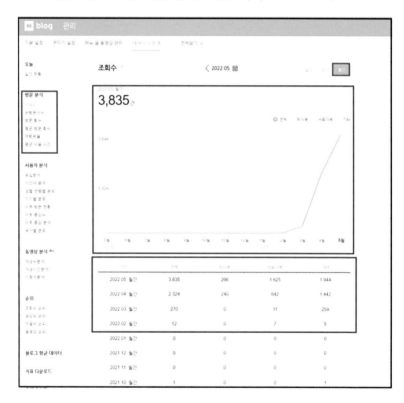

## 4. 콘텐츠 분석

조회수가 높은 게시물, 인기 있는 게시물 등을 분석하여, 사람들이 선호하는 콘텐츠를 파악하고, 이를 바탕으로 새로운 콘텐츠를 기획할 수 있습니다.

## 5. 광고 수익 분석

광고 수익을 분석하여, 광고 수익을 높일 방법을 모색할 수 있습니다.

## 6. 블로그 지수 분석

블로그 지수는 블로그의 인기도, 신뢰도, 운영 기간 등을 종합적으로 평가한 지표입니다. 블로그 지수가 높을수록 검색엔진에서 상위 노출될 확률이 높아지며, 광고 수익도 증가할 수 있습니다.

## 7. 통계 데이터 활용 및 분석 방법

블로그 통계 데이터를 활용하여 블로그 운영에 필요한 다양한 정보를 얻을 수 있습니다. 예를 들어, 블로그의 인기도를 파악하여 콘텐츠의 방향성을 수정하거나, 광고 수익을 분석하여 광고 전략을 수정할 수 있습니다.

순방문자 수 역시 일간, 주간, 월간으로 확인할 수 있습니다. 1회 이상 방문한 중복되지 않은 방문자 수로 조회수와 다릅니다. 조회수와 순방문자 수가 거의 같다면 들어온 사람이 딱 그 글 하나만 읽고 갔다는 뜻입니다. 반대로 조회수가 훨씬 많다면, 이웃들이 와서 다른 글도 읽었다는 뜻이지요. 사람들이 읽을 만한 내용을 잘 쓰고 있다고 생각하면 됩니다.

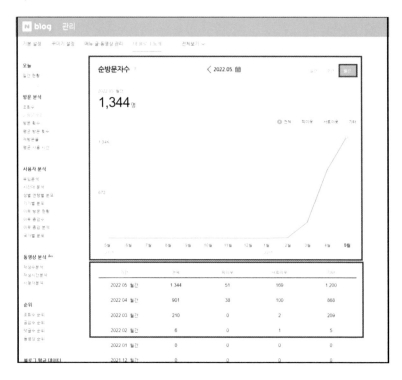

통계 대시보드에서는 방문자 수, 조회수, 유입 경로 등 다양한 지표를 한눈에 확인할 수 있으며, 통계 보고서에서는 더욱 자세한 분석 결과를 제공합니다. 이처럼 네이버가 제공해

주는 통계 데이터를 쉽게 분석할 수 있는 다양한 도구를 활용하십시오.

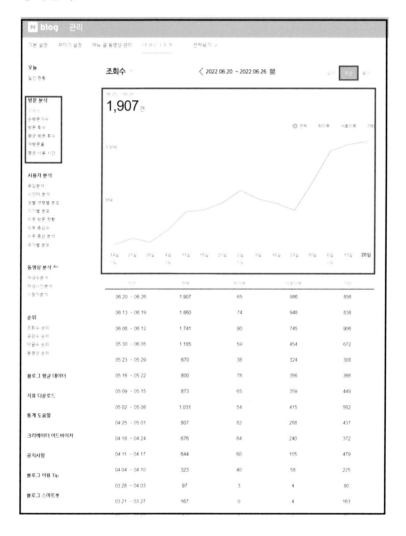

## 8. 통계 데이터 분석의 중요성과 한계점 인식

블로그 운영에 있어서 통계 데이터를 분석하는 것은 매우 중요합니다. 통계 데이터를 분석하면 블로그의 인기도를 파악하고, 이를 바탕으로 블로그 운영 전략을 수립할 수 있습니다.

하지만 통계 데이터의 한계도 분명히 존재합니다. 예를 들어, 사용자의 행동을 완벽하게 파악할 수 없으며, 사용자의 취향이나 선호도를 완벽하게 알 수 없습니다. 이런 한계를 고려해 자신의 주관적인 판단을 배제하고, 객관적인 데이터를 바탕으로 분석해야 합니다.

방문 횟수, 평균 방문 횟수, 재방문율은 내 글을 점검하는 수치입니다. 내가 이웃과 소통을 잘하고 있거나 사람들이 알고 싶은 글, 도움 되는 글을 쓴다면 계속 방문할 테니 수치가 높겠지요. 낮다면 둘 중 어느 쪽이 문제인지 생각해 보십시오.

### BLOG 수익화의 결정적 요인

1. 찐 이웃을 만들고 소통 잘한다.

2. 이웃들이 원하는 글, 도움 되는 글을 쓴다.

blog 수익화를 이룰 수 있는 결정적인 요인은 내가 얼마나 사람들이 읽고 싶어 하는 글을 쓰는가, 찐이웃(애정이웃)을 많이 만드는가에 달려 있습니다.

## 내 글 점검하는 수치

1. 방문 횟수, 평균 방문 횟수, 재방문율

2. 평균 사용시간

3. 공감 수, 댓글 수

통계 중 내 글이 사람들에게 어떤 반응을 얻는지 파악할 수 있는 좋은 수치가 <평균 사용시간>입니다.

길이에 따라 다르지만 보통 글 하나를 읽는 시간이 2~3분 내외라고 합니다. 평균 사용 시간이 짧다면 사람들이 그 글만 읽고 바로 나갔다는 것이고, 길다면 다른 글도 읽었다는 뜻입니다. 체류 시간이 3분 이상 된다면 내가 사람들이 읽을 만한 글을 쓰고 있구나 점검할 수 있습니다.

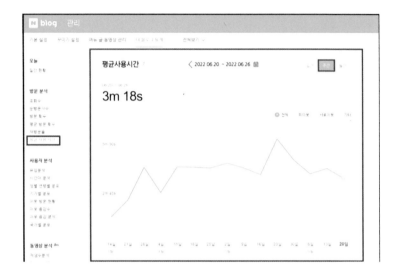

## 사용자 분석

사용자 분석도 세세하게 알려 줍니다. 유입 분석, 시간대 분석, 성별·연령별 분포, 기기별 분포, 이웃 방문 현황, 이웃 증감 수, 이웃 증감 분석, 국가별 분포까지 볼 수 있습니다.

시간대 분석을 보면 내 글을 주로 언제 사람들이 읽는지 알 수 있습니다. 글 발행 후 1시간 이내, 최대 4시간 이내에, 글에 달린 조회 수, 공감 수, 댓글 수는 지수 결정하는 데 매우 중요합니다. 이 수치가 높으면 네이버가 좋은 글이라고 판단하기 때문에 상위 노출될 가능성이 커집니다.

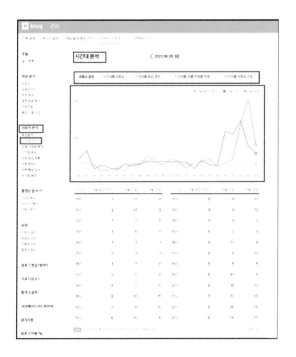

따라서 시간대 분석은 매우 중요합니다. 가장 많은 사람이 들어오는 시간대에 맞춰 글을 쓰는 것이 좋은 이유입니다. 대체로 오전 9-10시, 점심, 저녁 9시 전후에 사람들이 많이 들어오지요.

만약 육아맘들을 위한 글을 쓴다면 아이들을 놀이방이나 유치원에 보낸 후인 11시 전후에 쓰는 것이 좋겠지요. 최소한 하루 전에 써서 예약 발행하는 것이 가장 좋습니다.

전략적으로 내가 글을 쓰기 전후에 이웃들에게 열심히 방문해서 답방하러 오게 해서 이 수치를 올리는 것도 중요합니다.

**성별·연령대 분석**을 보면, 내가 글을 쓸 때 목표로 하는 대상과 일치하는지 확인할 수 있습니다. 제 경우 월간 분석을 보면 1위는 50~54세 여성, 2위는 40~44세 여성, 3위는 45~49세 여성입니다. 제가 타깃으로 삼는 독자층이 40~60대 직이 아닌 업을 찾는 사람들, 은퇴 후를 준비하는 사람들이니 거의 일치하네요.

만약 내가 글 쓰는 독자층이라고 생각하는 성별, 연령대와 실제 들어오는 수치가 다르다면 어떻게 할까요? 내가 타깃을 잘못 설정하지는 않았는지, 이웃 신청을 잘못된 사람에게 하지 않는지 돌아볼 필요가 있습니다.

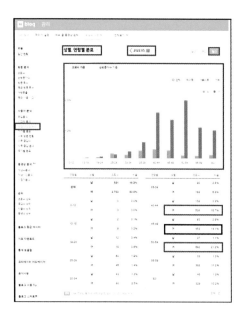

나와 결이 맞는 이웃을 추가해야만 합니다. 김동석 강사가 든 예시가 있습니다. 이웃이 1만 명인 사람과 500명인 사람이 공동구매(이하 공구)를 진행했습니다. 누가 더 많이 팔았을까요?

예상과 달리 500명인 사람이 더 많이 팔았습니다. 1만 명인 사람은 이웃 신청 요청이 오는 대로 다 받고, 자신이 속한 커뮤니티 사람들을 추가했습니다. 인원은 많지만 일명 찐이웃(애정이웃, 진짜 소통하는 사람들)이 별로 없었습니다. 반면 500명인 사람은 자신과 결이 맞는 사람들을 추가하고 찐 소통을 했기 때문에 신뢰가 쌓였고, 그가 하는 공구에 참여자가 많았던 것입니다.

저는 비움, 배움, 나눔으로 경제·재테크 공부, SNS 수익화에 대한 글을 주로 씁니다. 그런데 이웃이 IT 리뷰 블로거, 맛집 탐방, 여행 blogger가 대부분이라면 어떨까요? 제가 만약 공동구매를 한다면 관심사가 다른 이웃들이 참여할까요? 나와 활동 주제가 비슷한 이웃을 추가하고, 소통하는 것이 좋습니다.

마지막은 순위 부분입니다. 조회 수·공감 수·댓글 수·동영상 순위를 볼 수 있습니다. 역시 일간, 주간, 월간 검색이 가능합니다. 내 글 중 독자들이 가장 많이 본 내용이 무엇인지 알 수 있습니다. 독자들의 니즈 파악이 가능하지요.

조회 수의 70~80%의 공감이 달리고, 공감 수의 10% 정도 댓글이 달린다면 잘 쓰고 있다고 보시면 됩니다. 조회수, 공감 수, 댓글 수가 높은 글들과 비슷한 종류의 글을 쓰는 게 좋습니다. 이런 내용을 원하는 사람이 많다는 것이니까요.

---

**방문자 수 늘리기 전략**

1. 미리 글을 써두기

2. 사람들이 가장 많이 들어오는 시간대 맞춰 예약 발행하기

3. 발행 시간 전후에 이웃들에게 먼저 가서 안부 전하기

4. 발행 1시간 이내 댓글 달리면 대댓글 달기

5. 나와 결이 맞는 찐이웃 추가하기

6. 사람들이 찾는, 도움 되는 글쓰기

7. 콘셉트가 명확한 글쓰기

---

이웃들이 원하는 글을 꾸준히 쓰고, 찐 이웃을 늘리며 소통한다면 방문자 수가 늘고 성장할 것입니다. 이왕이면 통계를 잘 분석해서 효율적인 방법을 찾으면 성장 시간을 단축할 수 있습니다.

# CHAP 10
# 키워드, 수익형 블로그 핵심

## 1. 키워드의 정의

블로그를 시작하면 키워드에 대한 이야기를 정말 많이 들을 것입니다. 키워드가 무엇일까요?

키워드란?

국어사전: 데이터를 검색할 때, 특정한 내용이 들어 있는 정보를 찾기 위하여 사용하는 단어나 기호

인터넷 용어사전: 문서에서 원하는 내용을 검색할 때 그 내용을 대표하는 핵심 단어

구글이나 네이버에 내가 찾고 싶은 말을 검색하면 연관검색어가 여러 개 뜹니다. 이처럼 사람들이 궁금해하고, 검색해 보는 단어가 키워드라고 생각하시면 쉽습니다. 단어 하나만 뜻하지는 않고, 여러 개의 단어로 이루어질 수도 있습니다. 키워드는 모든 검색 엔진에서 매우 중요한 요소입니다. 왜냐하면 사람들의 성향과 알고 싶어 하는 내용을 파악할 수 있고, 트렌드도 알 수 있기 때문입니다.

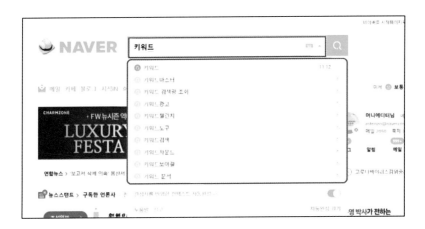

## 2. 키워드의 공급과 수요

재래시장, 마트, 대형 쇼핑몰.

셋 중 어디에 사람들이 가장 많이 몰릴까요? 당연히 대형 쇼핑몰입니다. 찾아오는 사람들이 많으니, 판매도 많이 될 테고, 보증금이나 월세도 제일 높겠지요. 방문자가 많으면 수요도 늘어나니까요.

키워드의 공급과 수요 법칙

검색량을 알고 글을 쓰면 수익화 기회가 커진다.

김동석 강사, 블로그 레벨업 강의 중

개인 블로그를 운영하거나, 블로그 마케팅이나 홍보하거나 중요하게 생각하는 것은 상위 노출입니다. 검색했을 때 내 글이 뜨고, 이를 통해 내 블로그에 오게 하는 것이 목표인 경우가 많습니다. 그러려면 키워드를 검색했을 때 나오는 목록들의 상위에 내 글이 위치해야 합니다.

글을 쓸 때 검색 유입자가 원하는

키워드를 사용해야 한다.

사람들이 검색해서 내 글을 읽게 하려면 사용자가 알고 싶어 하고, 읽고 싶어 하는 글을 꾸준히 써야만 합니다. 신뢰를 쌓아야 한다는 뜻입니다.

사람들이 많이 찾는 키워드가 무엇인지, 시즌별 유효 키워드가 무엇인지 알고 쓴다면 좀 더 상위에 오를 수 있습니다. 검색량을 알고 포스팅하면 상위 노출의 기회도, 수익화 기회도 많아집니다. 이웃들이 내 글을 보는 것은 한계가 있기 때문입니다. 서로이웃 추가에 대해서는 CHAP 8을 참고하시기를 바랍니다.

3. 전략적인 키워드 사용법

일반적으로 키워드는 1~5개의 단어로 이루어집니다. 문장도 가능하지만, 사람들이 문장을 검색하는 일은 거의 없으니까 제외하겠습니다.

키워드를 이용해 글 작성하기

첫째, 제목에 키워드를 포함

둘째, 본문에 키워드에 대한 설명을 상세히 기술

셋째, 태그에 키워드를 포함

이 세 가지를 모두 충족해야 정확한 키워드 사용이 됩니다. 제목, 본문, 태그에 키워드를 포함해 쓰는 것이지요. 블로그는 사람들의 관심사를 기술해 독자를 늘리는 것이 중요합니다. 따라서 이왕이면 사람들이 많이 찾아보는 단어, 또는 단어들로 키워드를 선택해야 하는 것입니다.

## 1. 메인 키워드와 서브 키워드 활용

메인 키워드+ 서브 키워드(세부 키워드)

메인 키워드와 서브 키워드를 몇 가지 조합해서 사용합니다. 자동완성 검색어나 연관 검색에 나오는 내용 중에 몇 가지를 추가하는 것이지요.

## 2. 자동완성 검색어 활용

자동완성 검색어는 검색했을 때 아래쪽에 목록처럼 나오는 내용들입니다. 이 중에서 조합해서 키워드를 추가해 사용합니다.

다음은 네이버와 구글에서 검색했을 때 나오는 자동완성어입니다.

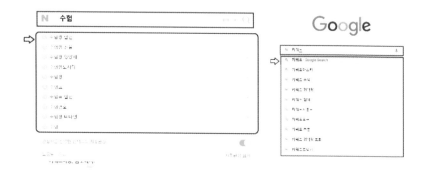

구글, 네이버 등 모든 검색 엔진은 자동완성 검색어를 제공합니다. 검색했을 때 아랫부분에 관심사를 반영한 자동 완성어들이 나옵니다.

3. 연관 검색어 활용

연관 검색어는 검색했을 때 우측에 따로 나오는 내용들입니다. 검색한 사람들이 추가로 검색한 내용들을 보여주고 있지

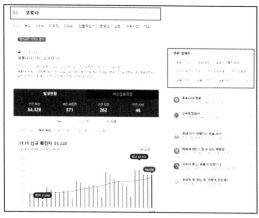

요.

## 4. 키워드 상위 노출 방법

물론 키워드로 글을 쓴다고 모두 상위 노출이 되지는 않습니다. 일반이나 준최적 단계라면 상위 노출은 매우 어렵습니다. 게다가 네이버가 인플루언서, 엑스퍼트 우선 정책을 펼치면서 블로그는 더 밑에서 검색되는 경우가 늘었습니다.

View 탭에 카페와 함께 노출되는 블로그는 예전보다 상위 노출이 더 힘들어졌지요. 키워드에 대한 기본 개념을 가지고 써야 효율적으로 블로그를 활용할 수 있습니다. 초보라면 발행량이 많은 키워드를 피해서 글을 쓰는 것이 좋습니다.

상위 노출을 위한 5가지 방법

1. 어떤 키워드로 쓸 것인가

2. 나의 현재 Blog 위치는 어느 정도인가

3. 평소 내 키워드 중에서 상위 노출이 되는 영역은 어떤 것인가?

4. 상위 노출이 된 포스팅을 분석

5. 유튜브나 blog에 나온 내용을 실제 검증해 본다.

네이버 연관 검색어나 블랙 키위를 통해 키워드를 검색하고 발행량, 최신 글이 언제 쓰였는지 확인합니다. 어떤 글을 쓰는 것이 좋을지 촉각을 곤두세우고 찾아야만 합니다. 매일매일 내 글을 통계에 들어가 분석하면서 어떤 글을 사람들이 좋아했는지, 어떤 글에 반응이 있었는지 확인합니다.

상위 블로거들의 글을 보고, 어떤 식으로 썼는지, 어떻게 성장해 왔는지 분석해야 하지요. 결론은 노력하지 않고 저절로 얻어지는 것은 없다는 것입니다. 플랫폼트리님처럼 독서로, 검색으로, 공부로 자신을 업그레이드하고, 새롭게 안 사실을 쓰는 데 찾아오지 않을 사람이 없습니다.

남이 잘하는 것 부러워하면서 가만히 있으면 아무것도 얻을 수 없습니다. 시도하고, 잘못을 수정하고, 잘한 것을 발전시키며 실천해야 성장할 수 있습니다

## 4. 키워드 검색 도구

키워드 검색 도구는 너무나 다양합니다. 여기서는 네이버 키워드 도구와 블랙키위, 엔서포터를 소개합니다.

### 1. 네이버 광고

네이버는 사용자들이 검색하는 키워드에 대한 데이터를 쌓고 있습니다. 어떤 키워드가 많이 조회되고 있는지, 얼마나 많이 검색하는지 등의 데이터는 "네이버 검색 광고"를 통해 공개됩니다. 이 공개 데이터를 활용하고 부가 서비스를 추가해 블랙키위나 키워드마스터 같은 도구들이 만들어졌습니다.

원래 네이버에 광고를 내고 싶어 하는 광고주를 위한 도구입니다. 하지만 광고주가 아닌 개인도 네이버 아이디로 가입해 사용할 수 있습니다.

https://searchad.naver.com/

네이버 검색광고

위 링크에 들어가 가입합니다. 사업자를 위한 사이트인 만큼 여러 개의 단어 입력이 가능하고, 연관 검색어가 1,000개까지 나옵니다. 엑셀로 다운로드해 원하는 대로 자료를 가공할 수 있다는 점이 매력적입니다.

| No | 연관키워드 | 월간검색수(PC) | 월간검색수(모바일) | 평균클릭수(모바일) | 경쟁정도 |
|---|---|---|---|---|---|
| 1 | 삼성전자주가 | 432,000 | 7,129,100 | 8968.7 | 중간 |
| 2 | 환율조회 | 123,000 | 463,900 | 88 | 중간 |
| 3 | 증권 | 26,200 | 435,700 | 914.8 | 높음 |
| 4 | 주식시세 | 15,300 | 422,200 | 1066.8 | 높음 |
| 5 | 종합주가지수 | 17,700 | 262,200 | 287.9 | 높음 |
| 6 | 금리 | 62,800 | 194,700 | 146.1 | 높음 |
| 7 | 적금 | 80,800 | 169,100 | 184.2 | 높음 |
| 8 | 적금계산기 | 29,500 | 119,200 | 54.6 | 낮음 |
| 9 | 달러인덱스 | 9,890 | 108,900 | 1 | 높음 |
| 10 | NFT | 43,900 | 94,500 | 473 | 높음 |
| 11 | 저축은행적금 | 46,100 | 93,400 | 1 | 낮음 |
| 12 | 미국주식 | 9,880 | 93,000 | 181 | 높음 |
| 13 | 경매 | 40,300 | 82,900 | 612.8 | 높음 |
| 14 | 적금이자높은은행 | 11,400 | 68,300 | 1805.6 | 낮음 |
| 15 | 달러환율전망 | 10,200 | 67,400 | 290.3 | 중간 |
| 16 | 증권시세 | 1,960 | 63,300 | 229 | 높음 |
| 17 | 퇴직금지급기준 | 10,400 | 56,900 | 353.8 | 높음 |
| 18 | 금리계산기 | 15,800 | 56,900 | 0.7 | 높음 |
| 19 | 국내주식 | 4,660 | 54,100 | 249.6 | 높음 |
| 20 | 청약 | 33,400 | 50,200 | 57.5 | 높음 |
| 21 | 채권 | 16,800 | 42,200 | 1.3 | 높음 |
| 22 | 금융 | 12,500 | 39,600 | 1.3 | 높음 |
| 23 | 주식사는법 | 4,490 | 38,400 | 1059 | 높음 |
| 24 | ETF | 17,000 | 37,600 | 51.1 | 높음 |
| 25 | 부업 | 8,450 | 36,300 | 744.8 | 높음 |
| 26 | 단기알바 | 5,850 | 34,800 | 1082.8 | 높음 |
| 27 | 오늘의주식시세 | 670 | 34,000 | 77.3 | 높음 |
| 28 | 정기적금금리비교 | 8,080 | 33,500 | 164.6 | 중간 |
| 29 | 쿠팡알바 | 4,690 | 33,100 | 1323 | 중간 |
| 30 | 2차전지관련주 | 5,140 | 33,000 | 196.1 | 높음 |
| 31 | 블록체인 | 13,900 | 28,900 | 112.3 | 높음 |
| 32 | 퇴직연금 | 16,000 | 27,700 | 74.5 | 높음 |
| 33 | 경제 | 10,400 | 26,200 | 0.7 | 높음 |
| 34 | 재테크 | 9,840 | 26,100 | 100.8 | 높음 |
| 35 | 적금특판 | 7,670 | 25,100 | 181.7 | 낮음 |
| 36 | 채권투자방법 | 5,030 | 21,900 | 417.8 | 높음 |
| 37 | 재택알바 | 4,700 | 20,900 | 405.8 | 높음 |
| 38 | 퇴직연금수령방법 | 3,960 | 20,400 | 0 | 중간 |
| 39 | 배당금높은주식 | 2,900 | 19,400 | 0.7 | 높음 |
| 40 | 호주달러 | 8,120 | 18,700 | 0.7 | 중간 |
| 41 | 재택부업 | 3,680 | 18,600 | 348.9 | 높음 |
| 42 | 상가임대 | 3,460 | 18,500 | 103 | 높음 |
| 43 | 20대적금추천 | 3,160 | 17,700 | 1.3 | 높음 |
| 44 | 적금추천 | 5,770 | 16,900 | 2.3 | 높음 |

한 번에 여러 개의 키워드를 검색할 수 있는 것이 장점입니다. 연관 검색어를 100개까지 한꺼번에 많이 확보할 수 있습니다. 또한 개별 키워드별로 월간 검색 추이를 알 수 있다는 점도 유용하지요.

블로그 발행량 검색이 안 되는 점이 아쉽습니다. 예를 들어 '직장인 연말정산'이라는 키워드는 평소에는 검색하지 않습니다. 그러다가 11~2월까지 검색량이 늘어나지요. 이런 검색량을 내 블로그로 가져오려면 10월 중순부터 미리 글을 작성해야 합니다

2. 블랙키위

블랙 키위 역시 많이 사용하는 도구입니다. 검색해서 아래와 같은 화면에서 회원 가입을 합니다. 연관/유사 키워드를 한꺼번에 보여 줍니다. 검색 동향과 섹션 배치 순서도 잘 정리해 보여주고, 트렌드 분석, 섹션 분석 등을 통해 각 분야 1-10위까지 블로거를 보여주기에 벤치마킹에도 유용합니다.

**블랙키위**는 월간 검색량뿐 아니라 <월간 콘텐츠 발행량>과 <

콘텐츠 포화 지수>를 알 수 있다는 점이 장점입니다. 경쟁률이 낮은 키워드를 찾을 때 유용합니다. 그 밑

에 20개의 연관 키워드가 나와 참고할 수 있습니다.

| 키워드 | 월간 검색량 (Total) | 블로그 누적 발행량 | 월자 유사도 |
|---|---|---|---|
| 한국경제 | 81,100 | 1,110,000 | 높음 |
| 경제지표 | 38,270 | 362,000 | 높음 |
| 경제뉴스 | 27,800 | 2,950,000 | 높음 |
| 규모의 경제 | 11,640 | 2,500,000 | 보통 |
| 경제 용기 | 9,690 | 2,340,000 | 높음 |
| 네이버 경제 | 7,420 | 5,780 | 보통 |
| 오늘경제신문구독 | 7,230 | 23,400 | 보통 |
| 아시아 경제 | 6,990 | 723,000 | 보통 |
| 미국 경제 | 6,500 | 4,070,000 | 높음 |
| 경제신문 | 6,450 | 1,520,000 | 높음 |
| 어린이 경제신문 | 4,870 | 3,860 | 보통 |
| 한국경제신문구독 | 4,270 | 13,000 | 보통 |
| 주말경제 | 3,030 | 687,000 | 높음 |
| 경제공부 | 1,670 | 139,000 | 높음 |
| 경제 론 | 900 | 1,460,000 | 높음 |
| 경제잡지 | 630 | 280,000 | 높음 |
| 경제지 | 510 | 81,000 | 높음 |
| 경제대학 | 500 | 1,290,000 | 높음 |
| 경제 교육 | 340 | 310,000 | 높음 |
| 초저경제 | 50 | 262,000 | 높음 |

이처럼 경제나 재테크에 대해 사람들의 관심이 높습니다. 재테크만 해도 부동산, 금, 주부, 그림, 20대, 30대, 직장인, 1억, 소액 재테크 등 상세하게 나뉩니다. 그만큼 관심사가 다양하다는 뜻입니다.

애써 쓰는 글, 기왕이면 많은 사람이 볼 수 있도록 키워드를 생각하며 쓰는 습관을 들여야 합니다. 내가 쓰고 싶은 글이 아닌 사람들이 궁금해하는 글을 쓰도록 계속 노력해야 합니다.

## 3. 엔서포터

엔서포터는 글자 수 세기와 키워드 분석에 모두 유용합니다. 구글 확장 프로그램으로 <리뷰언스 엔서포터>를 검색해서 설치하면 됩니다.

설치 방법은 아주 간단합니다. 옆과 같이 파랑 <Chrome에 추가> 버튼을 클릭합니다. 추가할 것이냐고 물으면 <Add extension> 혹은 <추가> 버튼을 누릅니다.

아래와 같이 화면 오른쪽 윗부분에 추가되었습니다. 자, 모두 끝났습니다. 이제 어떻게 사용하는지 볼까요?

## 1) 글자 수 세기

설치 후에 글을 쓰면 다음 그림처럼 화면 위쪽에서 자동으로 글자 수를 세줍니다. 전체 글자 수, 한글, 영어, 숫자로 나눠서 각각의 가 모두 나옵니다. 앞으로는 글자 수 세기 프로그램에 복사해서 붙이며 확인할 필요 없습니다. 정말 편하지요?

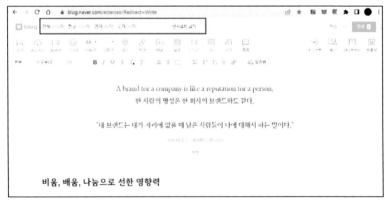

자동 글자 수 세기

## 2) 엔서포터 키워드 분석

이게 다가 아닙니다. 엔서포터의 막강한 능력은 네이버 검색에서 키워드 분석과 블로그나 글 분석에서 나타납니다.

최강 키워드 중 하나인 '강남맛집'을 쳐보겠습니다. 다음과 같이 검색 화면에 빨간 박스로 표기한 진청색 박스가 보입니다. 위에는 <엔서포터 키워드 분석>, 블로그 글 밑에는 <엔서포터 글 분석>이라는 버튼이 보입니다. 앞으로 네이버에서 검색하면 언제나 볼 수 있습니다.

제일 위쪽에 있는 <엔서포터 키워드 분석>을 눌러 볼까요?

앤서포트 키워드 분석, 글 분석

엄청나지 않나요? '강남맛집'으로 1,135건의 글이 등록됐네요. 하루 평균 1,025개의 글이 등록되고요. 역시 대형 키워드 맞습니다. 파워링크 분석에서는 PC와 모바일 월간 검색 수와 전체 검색 수가 나옵니다. 게다가 키워드 가격까지 나옵니다. PC는 2,340원, 모바일은 2,140원입니다.

이 내용을 보자 문득 궁금해져서 가장 광고 가격이 비싸다는 '대상포진'을 찾아봤습니다. PC가 83,900원. 정말 비싼 키워드 맞는군요. 40배나 비싸네요. 이런 광고가 내 글에 붙는다면 얼마나 좋을까요. 네이버가 알아서 붙여주는 거라 그럴 가능성이 낮지만 말입니다.

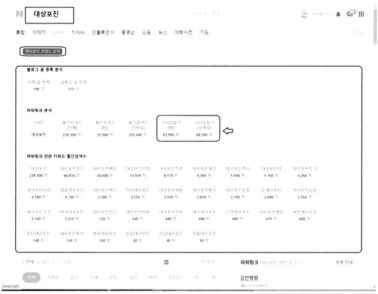

대상포진 키워드 분석

파워링크 분석뿐 아니라 연관 키워드 검색 수도 알려 줍니다. 따라서 키워드 검색하며 글을 쓸 때 검색 횟수를 바로 확인 하며 추가할 수 있습니다. 블랙 키위 같은 프로그램을 일일 이 열어서 확인할 필요가 없습니다.

3) 엔서포터 블로그 글 분석

아래처럼 글 밑에 있는 버튼을 누르면 그 사람의 블로그를 분석해 줍니다.

앤써포터 블로그 분석

그 블로그의 일평균 방문자, 이웃 수, 개설일, 글자 수 분석, 키워드 수 분석, 단어 수 분석까지 샅샅이 파헤칩니다. 초보 때는 어렵지만, 차츰 상위권 노출을 바랄 때, 정말 도움이 됩니다. 벤치마킹이 중요하다는 것 아시지요? 잘하는 사람의 글을 제대로 파악할 수 있어 유용합니다.

# CHAP 11
## 블로그 성장 전략

1. 블로그 순위 확인하는 법 블로그 차트

블로그를 계속하다 보면 내 순위가 얼마나 될까 궁금해집니다. 이때 유용한 사이트가 블로그 차트입니다.

1. 내 블로그 순위 확인

먼저 블로그 차트에 회원 가입을 합니다.

1. 회원가입 및 이메일 인증

우측 맨 위에 있는 회원 가입을 합니다. 이용약관 밑에 동의 체크하고 ID, 비밀번호 등

인적 사항을 씁니다. id는 이메일 주소를 사용합니다.

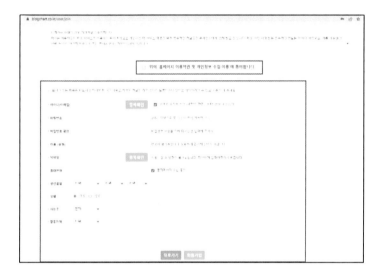

회원 가입

축하합니다. 회원가입이 완료되었습니다. 사용하려면 이메일 인증이 필요합니다.

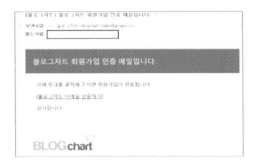

블로그차트를 사용하시려면 이메일 인증이 필요합니다.

회원님 이메일          aver.com)로
인증메일이 발송되지 않았으면 아래 버튼을 눌러주세요.

**인증 이메일 다시 받기**

다음에 확인하기

id로 입력한 이메일에 들어가 다음처럼 인증 메일을 열어 인증합니다.

## 2. 내 블로그 주소 인증

사이트에 로그인해서 <내 블로그 분석>을 누르면 다음처럼 흐리게 나오며 아무것도 보이지 않습니다. 내 블로그 주소를 인증해야 하기 때문입니다. 아래와 같이 초록 버튼을 누릅니다.

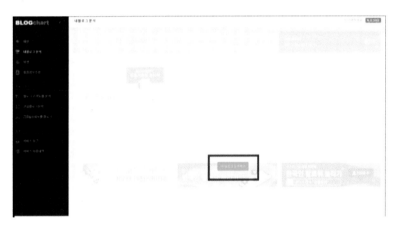

Step 1. 블로그 접속 주소 입력

인터넷 주소 창에 내 블로그 주소를 넣고 확인을 클릭합니다.

Step 2. 블로그 인증

이 부분이 조금 헷갈립니다. 다음처럼 나오는 인증코드를 복사합니다.

내 블로그에 가서 <관리, 통계>를 클릭합니다.

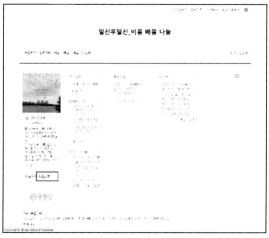

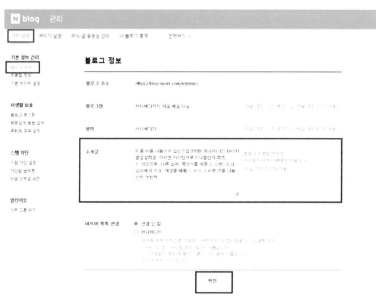

소개 글 안에 인증코드 복사, 확인

내 블로그 관리, 통계에 들어가서 소개 글에 아까 복사한 인증 코드를 붙여넣기 하고 확인을 누릅니다.

다시 블로그 차트 사이트에 들어가면 위와 같이 기다리라고 나옵니다. 축하합니다. 모든 단계가 끝났습니다. 내 블로그 소개 글에 넣었던 인증코드를 지운 후 다시 저장합니다.

## 3. 블로그 순위 확인

로그인 후에 <내 블로그 분석>을 클릭합니다. 다음처럼 내 순위가 나옵니다. 지난주보다 56,543등이 올랐네요. 코로나 때문에 순위가 많이 떨어졌기 때문에 많이 오른 것처럼 보입니다. 3일 못 썼는데 순위가 2만 등이 넘게 하락해서 깜짝 놀랐습니다. 이 사이트를 사용한 후로 순위가 떨어진 건 처음 봐서 상처가 컸습니다.

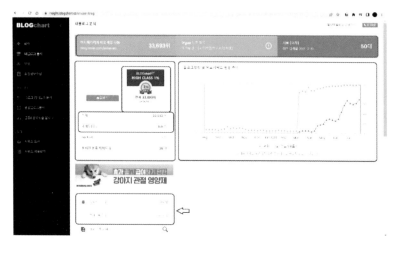

순위 확인 화면

매주 월요일마다 순위가 업데이트됩니다. 매주 확인하는 재미가 쏠쏠합니다. 특히 처음 블로그를 시작한 후에는 꾸준히 글쓰기를 한다면 순위가 팍팍 오르기 때문에 계속할 동기부여를 확실히 줍니다.

또 한 가지 유효 키워드 숫자도 중요합니다. 내가 키워드를 얼마나 잘 잡고 있는지를 파악할 수 있기 때문입니다. 459개라고 나오지만 처음 확인할 때는 겨우 15개였습니다. 키워드라는 개념이 전혀 없었으니까요. 강의 때 보니 최광자 강사는 유효 키워드 수가 1,500개가 넘어서 깜짝 놀랐습니다. 역시 블로그 No. 1다왔습니다.

## 4. 벤치마킹, 테마 블로그 확인

또 다른 활용법은 벤치마킹입니다. 테마 차트를 클릭합니다.

테마별로 인기 높은 블로그를 한눈에 볼 수 있습니다. 이중 원하는 분야를 선택합니다.

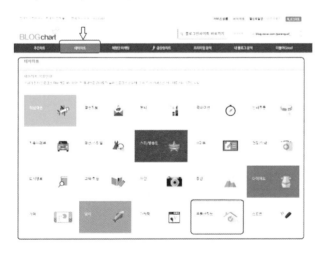

아래와 같이 상세 분야가 나옵니다. 경제, 마케팅, 뷰티 등 분야별로 1-10위까지의 순위가 나오고, 클릭하면 바로 그 블로그로 바로 가기 때문에 각 분야의 초고수가 누구인지 한 번에 파악할 수 있습니다.

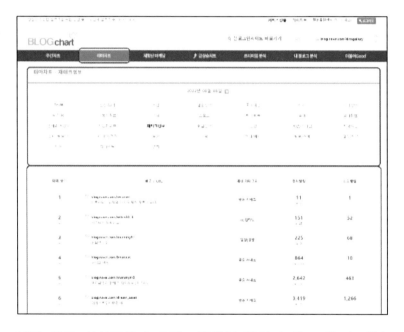

날짜 옆의 화살표를 누르면 1주일씩 앞이나 뒤로 갈 수 있습니다. 캘린더 모양을 클릭하면 원하는 날짜로 바로 갑니다. 이를 통해 순위 변동과 급상승한 사람이 누구인지 확인할 수 있습니다.

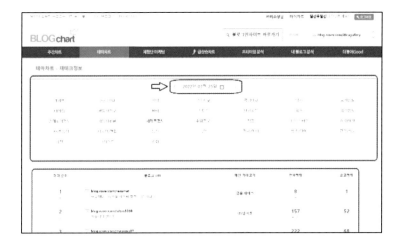

## 2. 블로그 링크 연결하기

링크는 아래와 같이 글을 읽다가 바로 그 영상이나 다른 글로 바로 갈 수 있게 연결한 것입니다. 글에서 설명한 유튜브 영상, 신문 기사, 책 등 원본 내용으로 갈 수 있게 하기 위해서 입니다. 혹은 연관 글을 추가해 나의 다른 글도 더 볼 수 있게 하기 위해서일 수 있고요.

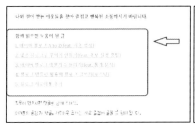

이렇게 연관된 나의 다른 글을 연결하면 독자들에게도 도움이 되고, 체류 시간이 늘어나니 내 블로그 지수에도 도움이 됩니다.

1. 링크 메뉴 이용

우선 내가 글에 추가하고 싶은 글의 인터넷 주소를 복사합니다. 내 블로그 글을 추가하고 싶다면 아래처럼 글의 위나 아래에 있는 <URL 복사>를 누르면 위의 박스처럼 복사했다는 말이 나옵니다.

그 후에 쓰고 있는 글에서 아래처럼 맨 위에 있는 커다란 사슬 모양을 클릭합니다. 밑에 나오는 박스 안에 방금 복사한 URL을 <Ctrl+V> 합니다.  혹은 연결하려고 하는 인터넷 주소를 <복사 - 붙여넣기> 해도 됩니다.

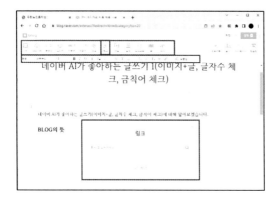

그러면 좌측 그림처럼 첨부 됩니다. 카드 뉴스처럼 큼지막하게 달립니다. 크고 공간을 많이 차지해 여러 개를 추가할 수 없습니다. 보기에 좋지도 않습니다.

## 2. 직접 주소 글에 붙여 넣기

다음은 주소를 글에 직접 붙여 넣습니다. 위와 같이 주소URL이 위에 나오고, 그 밑에 카드 뉴스처럼 연결됩니다.

메뉴에 있는 link를 사용하면 바로 카드 뉴스처럼 붙고, 직접 URL을 글에 붙이면 인터넷 주소를 먼저 쓴 후에 카드 뉴스처럼 연결된다는 차이점이 있습니다.

## 3. 작은 사슬 LINK

마지막은 글쓰기 화면에서 제일 아래 칸 우측에 있는 작은 사슬 모양을 사용하는 방법입니다.

추가하고 싶은 인터넷 URL을 복사한 후에 사슬 모양을 누르면 아래처럼 한 줄로 들어갑니다. 그러면 막상 이 글이 어떤 내용인지 알 수가 없지요.

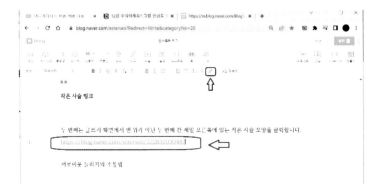

위와 같이 먼저 그 글의 제목을 쓴 후 제목 전체를 마우스로 드래그해서 블록 지정한 후 위의 작은 사슬 표시를 누릅니다.

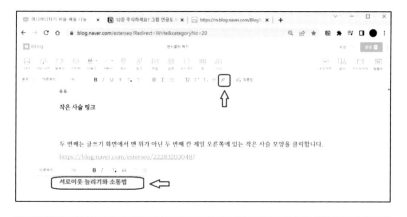

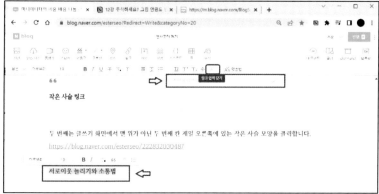

사슬 바로 밑에 나온 직사각형 안에 연결하려는 주소 URL을 넣은 후 확인을 누르면 다음과 같이 글자에 링크가 연결됩니다.

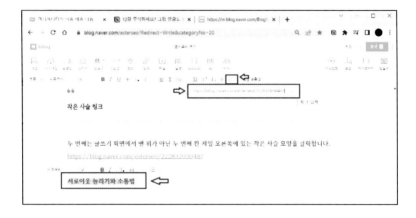

아래와 같이 색이 바뀌고 밑줄이 생깁니다. 서체, 글자 크기, 색도 얼마든지 바꿀 수 있습니다.

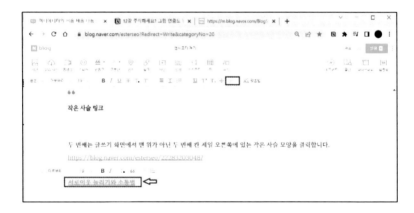

글에 링크 걸기

Tip

글자뿐 아니라 이미지에도 링크를 걸 수 있습니다. 이미지를 불러온 후에 이미지를 클릭한 상태에서 작은 사슬 링크를 누르고 연결할 인터넷 주소를 넣으면 됩니다. 이 경우 사진 우측 아랫부분에 사슬 모양이 생깁니다.

몇 번이나 강조했지만 네이버는 일단 들어온 사람들이 가능한 이 안에서 머물고 나가지 않기를 바랍니다. 따라서 링크를 네이버 카페나 블로그, 스마트 스토어 등에 연결하는 것은 괜찮지만, 유튜브나 쿠팡, 인스타그램, 신문 기사처럼 네이버를 벗어나게 하는 링크를 달면 블로그 지수를 낮춥니다. 쿠팡 파트너스를 연결하거나 체험단, 기고 글을 연결했는데 글이 누락되거나 블로그 저품질이 왔다는 분들 많습니다. 애써 키운 블로그가 누락되지 않게 주의하세요.

또 한 가지, 만약 연결한 내용이 저품질이거나 문제가 있다면 멀쩡한 내 글까지 누락되거나 점수가 하락한다는 것을 기억하십시오. 동일한 글을 계속 연결하거나 너무 많은 내용을 연결하려 하지 말고 꼭 필요한 글들만 추가하는 것이 좋습니다.

## 3. 블로그 저품질 누락 이유 및 해결 방법

내가 애써 쓴 글이 검색되지 않는다면 그만큼 힘이 빠지는 일이 없을 것입니다. 이는 한순간에 이루어지는 것은 아닙니다. 나도 모르는 사이에 blog 지수를 떨어뜨리는 일을 반복하며 누적한 결과입니다.

## 1. BLOG 누락 확인하기

### 1. 블로그 헬퍼에서 확인

내가 쓴 문서가 검색되지 않는 것 같다 싶으면 한번 점검해 볼 필요가 있습니다. 블로그 헬퍼에서 무료 회원 가입을 합니다. 블로그 진단에 내 id를 넣고 진단해 봅니다.

진단 데이터 색상별 설명

블로그 도우미

서비스소개　커뮤니티　서비스안내/신청　블로그 진단　멤버십 결제

| NO | TITLE ▲ | URL ▲ | DATE ▲ | P.RANK ▲ | 주제 ▲ | 게시글 ▲ | 게시글 분석 ▲ |
|----|---------|-------|--------|----------|--------|----------|----------------|
| 1 | | /esterseo/22299601??81 | 2023.01.31 | 1위 | | | 분석도구 |
| 2 | | /esterseo/22299601612 | 2023.01.30 | 1위 | | | 분석도구 |
| 3 | | | 2023.01.29 | 1위 | | | 분석도구 |
| 4 | | /esterseo/22299600943 | 2023.01.28 | 1위 | | | 분석도구 |
| 5 | | /esterseo/22299536300? | 2023.01.28 | 1위 | | | 분석도구 |
| 6 | [공유] 2023년 첫 무료 전자책 이벤트! 타이탄의 블로썸 초고퀄리티 전자책 6종을 드립니다. | /esterseo/222996294142 | 2023.01.27 | 미노출(120위 미만) | | | 분석도구 |
| 7 | | /esterseo/22299601611? | 2023.01.26 | 1위 | | | 분석도구 |
| 8 | | /esterseo/222993219100 | 2023.01.25 | 1위 | | | 분석도구 |
| 9 | | /esterseo/222990291031 | 2023.01.21 | 1위 | | | 분석도구 |
| 10 | | /esterseo/222990006541 | 2023.01.20 | 1위 | | | 분석도구 |
| 11 | | /esterseo/222988416122 | 2023.01.19 | 1위 | | | 분석도구 |
| 12 | | /esterseo/222988299001 | 2023.01.18 | 1위 | | | 분석도구 |
| 13 | | /esterseo/222987623552 | 2023.01.17 | 1위 | | | 분석도구 |
| 14 | [공유] 블로그 수익화를 위한 블크업 부스터 과정 4기 멤버 모집 | /esterseo/222986112265 | 2023.01.16 | 미노출(120위 미만) | | | 분석도구 |

무료 회원인 경우 내가 쓴 글 50개까지 진단해 줍니다. 신호등처럼 나오는데 초록색은 정상입니다. 빨간색은 누락, 노란색은 문제가 있는 글입니다. 이런 내용은 몇몇 사이트에서 제공하는데 조금씩 다른 부분이 있습니다. 위에서 빨간색은 다 공유한 내용입니다. 문제가 있다고 한 글들만 모아 2차로 확인합니다.

## 2. 제목 전체를 검색창에 입력해서 확인

내가 쓴 제목 전체를 네이버 검색창에 넣어봅니다. 제목 앞뒤로 ""(큰따옴표)를 하거나 제목 그대로 넣어서 검색했을 때 나오는지 체크합니다.

단, 포스팅한 지 1시간도 안 됐는데 나오지 않는다고 말하면 안 됩니다. 발행 후 2~4시간 정도 지나야 제대로 반영이 되기 때문입니다.

## 2. 네이버가 말하는 나쁜 문서 12

### 1. 유해 문서

유해 문서: 법률에 의해 또는 사용자 보호를 위해 네이버 검색서비스를 통한 노출을 제한하고 있는 글

그렇다면 반대로 네이버 블로그검색이 제어하는 문서는 어떤 게 있을까요? 사실 이런 종류의 문서는 일반적인 이용자들이 생산하는 경우는 많지 않습니다. 하지만 많은 분들이 궁금해하시는 사안인 만큼 비교적 자세히 소개해 드리고자 합니다.

▣ **유해문서와 스팸·어뷰징문서**

• **유해문서**
법률에 의해 또는 사용자 보호를 위해 네이버 검색서비스를 통해 노출되는 것을 제한하고 있는 문서를 말합니다.

›음란성, 반사회성, 자살, 도박 등 법률을 통해 금지하고 있는 불법적인 내용으로 이루어져 있거나 불법적인 사이트로의 접근을 위해 작성된 문서
›사생활 침해 방지 또는 개인 정보 보호, 저작권 보호 등을 위해 노출이 제한되어야 하는 문서
›피싱(phishing)이나 악성 소프트웨어가 깔리는 등 사용자에게 피해를 줄 수 있는 문서/사이트

네이버가 말하는 유해 글

법률로 금지하는 불법적인 내용이나 불법적인 사이트로 접근하도록 작성된 포스팅입니다. 사생활 침해 방지 또는 개인 정보 보호, 저작권 보호 등을 위해 노출이 제한되는 내용, 피싱이나 악성 소프트웨어가 깔리는 등 사용자에게 피해를 줄 수 있는 포스팅이나 사이트도 불가능합니다.

## 2. 스팸•어뷰징 문서

> • 스팸 · 어뷰징문서
>
> › 기계적 생성: 검색 노출을 통해 특정 정보를 유통하기 위한 목적으로 기계적 방법으로 생성된 내용으로만 이루어진 문서입니다.
> - 기존 문서를 짜깁기하거나 의도적으로 키워드를 추가하여 생성한 문서
> - 사람의 개입 없이 번역기를 사용하여 생성한 문서
> - 검색결과 등의 동적 문서를 기계적으로 처리하여 생성한 문서
> ※ 기계적으로 만들어진 문서의 유형은 다양하지만 이를 파악해 분석하는 기법도 계속 발전하고 있습니다. 기계적으로 생성되는 문서는 교묘하게 패턴을 바꾸더라도 자연스럽지 않은 흔적들이 발견되기 때문에 이런 흔적들을 추적해 계속 차단하고 있습니다.
>
> › 클로킹(cloaking): 검색 엔진에서 인식되는 내용과 실제 사용자 방문시의 내용이 전혀 다른 문서/사이트
> ※ 액션영화를 보면 종종 CCTV 모니터에 미리 찍은 화면이 보이게 하는 범죄 수법이 나오는데, 클로킹도 이와 유사합니다. 검색엔진에 보내는 url과 실제 이용자들이 방문하는 url이 전혀 다르게 하는 수법이 클로킹입니다. 저희는 클로킹을 발견하는 즉시 제외하고 있습니다.
> › 숨겨놓은 키워드: 폰트 크기를 0으로 하거나 매우 작게 하는 것, 바탕색과 같거나 매우 유사한 글자색을 사용하여 보이지 않는 텍스트로 키워드를 채워 놓은 문서, 글 접기 기능(네이버블로그 글 작성시 '요약' 기능)으로 키워드를 숨겨놓는 등 키워드가 검색 사용자에게 보이지 않도록 숨겨놓은 것
> › 강제 리다이렉트(redirect): 위젯(widget)이나 스크립트(script) 등을 사용하여 질의와 상관없는 목적 사이트로 사용자를 강제로 이동시키는 문서/사이트
> › 낚시성: 사용자의 검색 의도와 관계 없는 내용을 검색결과에 노출시키기 위해 의도적으로 특정 키워드들을 포함하여 게시한 문서
> › 복사: 뉴스/블로그/게시판/트위터 및 기타 웹 페이지의 내용을 단순히 복사하여 독자적인 정보로서의 가치가 현저히 낮은 문서
> › 도배성: 동일한 내용을 단일 블로그 또는 여러 블로그에 걸쳐 중복해서 생성하는 경우
> › 조작행위: 여러 ID를 사용하여 댓글을 작성하거나 방문하여 인기가 높은 것처럼 보이도록 하는 등의 조작 행위를 하는 경우
> › 키워드반복: 검색 상위 노출만을 위해 제목이나 본문에 의도적으로 키워드를 반복하여 작성한 문서
> › 신뢰성부족: 상품이나 서비스에 대한 거짓 경험담으로 사용자를 속이는 문서

네이버 검색이 생각하는 좋은 문서와 유해문서/스팸 · 어뷰징 문서에 대해 궁금증이 조금은 풀리셨나요? 이 가이드라인을 참고하셔서 혹시 내 블로그 · 카페 · 사이트가 스팸 · 어뷰징으로 간주될만한 요소를 가진 것은 없는지 체크하시면 도움이 될 것입니다. 앞으로도 좋은 블로그 · 카페 · 사이트를 찾아 여러분들이 정성들여 만든 좋은 문서들이 검색결과에 잘 노출될 수 있도록 끊임없이 노력하겠습니다.

## 3. 기계적 생성

검색 노출을 통해 특정 정보를 유통하기 위한 목적으로 기계적 방법으로 생성된 내용으로만 이루어진 것은 안 됩니다.

기존 문서들을 짜깁기하거나 의도적으로 키워드를 추가하여 생성한 경우, 번역기를 사용해 생성한 포스팅, 검색 결과 등의 동적 문서를 기계적으로 처리하여 생성한 포스팅들을 계속 걸러냅니다.

AI가 발전하며 이런 기록을 파악해 분석하는 기법도 갈수록

발전합니다. 기계적으로 생성되며 계속해서 교묘하게 패턴을 바꾸더라도 자연스럽지 않은 흔적들을 축적해 부지런히 차단합니다.

## 4. 클로킹(cloaking)

검색 엔진에서 인식되는 내용과 실제 사용자가 방문했을 때 내용이 전혀 다른 포스팅이나 사이트입니다. 검색엔진에 보내는 인터넷 주소와 실제 이용자들이 방문하는 주소를 다르게 하는 수법입니다.

## 5. 숨겨놓은 키워드

폰트 크기를 0이나 아주 작게 쓰기, 바탕색과 같거나 흰색처럼 보이지 않게 키워드를 채워 넣은 기록, 글 접기 기능으로 키워드를 숨겨놓는 등 키워드를 숨긴 경우들을 말합니다.

## 6. 강제 리다이렉트

위젯이나 스크립트 등을 사용해 질의와 상관없는 사이트로 사용자를 강제로 이동시키는 경우입니다.

## 7. 낚시성

검색 결과에 노출하기 위해 의도적으로 특정 키워드들을 포함해 발행한 경우입니다. 검색자들을 끌어오기 위해 후킹을 사용하지만, 막상 내용은 사용자의 검색 의도와 관계없는 경우가 해당합니다.

## 8. 복사

뉴스/블로그/게시판/트위터 및 기타 웹 페이지의 내용을 단순히 복사해서 붙여 넣어 독자적인 정보로서 가치가 현저히 낮은 경우입니다. 책이나 강의 역시 마찬가지입니다. 본인의 의견이나 경험 없이 기사나 블로그, 책 내용들을 그대로 써서 발행하면 안 됩니다.

## 9. 도배성

동일한 내용을 블로그 내에서 여러 번, 혹은 여러 블로그에서 중복해서 생성하는 경우입니다. 똑같은 내용을 카페나 네이버 스마트스토어에서 다시 사용하는 것도 좋지 않습니다. 다 같은 네이버 자회사이기 때문에 도배라고 인식합니다.

체험단에서 내용과 사진을 모두 제공하고 그대로 써달라고 하는 경우 역시 마찬가지입니다. 동일한 내용이 비슷한 시기에 여러 곳에 실리니 도배성으로 요주의가 됩니다.

또 하나, 위험 요소가 인증 글입니다. 계속 동일한 문구들을 반복한다면 저품질이 되는 지름길입니다. 새벽기상 1일 차, 새벽기상 2일 차… 감사일기 1일 차, 2일 차…. 독서 1일차, 2일 차… 유럽 여행 1일 차…. 경제신문 읽기 O일 차….

이런 글로 100일, 365일 동안 1일 1글쓰기 했다 뿌듯해 하지만 어느덧 내 블로그는 저품질로 가거나 지수가 떨어집니다. 꼭 써야 한다면 제목, 내용이라도 조금씩 바꿔 쓰십시오.

## 10. 조작 행위

여러 ID를 사용하여 댓글을 작성하거나 방문하여 인기가 높은 것처럼 보이도록 하는 등의 조작하는 경우를 말합니다.

## 11. 키워드 반복

검색 상위 노출만을 위해 제목이나 본문에 의도적으로 키워드를 반복해 작성한 기록입니다. 내용 중 같은 키워드가 여러 번 반복돼도 걸립니다.

## 12. 신뢰성 부족

상품이나 서비스에 대한 거짓 경험담으로 사용자를 속이는 내용입니다. 상품, 판매, 보험, 의료, 대출 등에 대한 포스팅은 특히 조심해야 합니다. 의료인, 법조인 등 관련 종사자가 아니라면 지수를 떨어뜨리기 딱 좋습니다.

## 3. 네이버가 직접 알려주는 좋은 문서 vs 나쁜 문서

이중 어떤 것은 쓰자마자 바로 나락으로 갑니다. 반면에 쓸 수록 조금씩 지수가 떨어지다 어느 순간 내 글이 검색에서 사라지는 경우도 있습니다.

블로그 강사나 다른 사람은 이렇게 써도 아무 문제 없다고 말한다고요? 그들은 지수가 높기 때문입니다. 그동안 쌓아온 점수가 높기 때문에 문제 있는 글을 써도 방어해 줍니다.

쉽게 말해 쓸 때마다 판돈을 베팅한다고 생각하면 쉽습니다. 글의 성격에 따라 1점을 내기도 하고, 10점이 필요한 경우도 있습니다.

블로그 지수가 최적 1~3으로 가장 높은 순위에 있는 사람들은 점수가 높으니 10점을 잃어도 아무 문제가 없습니다. 하지만 이제 10~20점 대인 블린이(블로그 초보자)들이 이런 내용을 쓰면 바로 문제가 생깁니다. 2번만 써도 바로 마이너스가 돼서 나락으로 가는 것입니다.

https://blog.naver.com/naver_diary/150153092733

## 4. 네이버가 알려주는 좋은 글 7

네이버는 다음과 같은 내용들이 검색 결과에 잘 노출되어 사용자는 검색 결과에 유용한 정보를 얻고 콘텐츠 생산자는 노력에 합당한 관심을 받을 수 있도록 하기 위해 노력하고 있습니다.

저희는 다양한 변수를 고려해 '좋은 문서'를 판단해 검색에 노출시키고 있습니다. 저희의 세부적인 판단 기준은 사실 공개하는 즉시 기준으로서의 가치를 잃어버리기 때문에 명확히 밝히기 어려운 점 양해 부탁 드립니다. 하지만 저희가 이 알고리즘을 만들 때 목표로 삼는 가치를 보신다면 큰 방향은 보실 수 있으리라고 생각합니다. 저희 블로그 검색이 생각하는 좋은 문서의 모습입니다.

**◻ 좋은 문서**

네이버 검색이 생각하는 좋은 문서를 설명합니다. 네이버는 다음과 같은 문서들이 검색결과에 잘 노출되어 사용자는 검색 결과에 유용한 정보를 얻고 콘텐츠 생산자는 노력에 합당한 관심을 받을 수 있도록 하기 위해 노력하고 있습니다.

- 신뢰할 수 있는 정보를 기반으로 작성한 문서
- 물품이나 장소 등에 대해 본인이 직접 경험하여 작성한 후기 문서
- 다른 문서를 복사하거나 짜깁기 하지 않고 독자적인 정보로서의 가치를 가진 문서
- 해당주제에 대해 도움이 될 만한 충분한 길이의 정보와 분석내용을 포함한 문서
- 읽는 사람이 북마크하고 싶고 친구에게 공유/추천하고 싶은 문서
- 네이버 랭킹 로직을 생각하며 작성한 것이 아닌 글을 읽는 사람을 생각하며 작성한 문서
- 글을 읽는 사용자가 쉽게 읽고 이해할 수 있게 작성한 문서

## 네이버가 알려주는 좋은 문서 7

1. 신뢰할 수 있는 정보를 기반으로 작성한 내용

2. 물품이나 장소 등에 대해 본인이 직접 경험하여 작성한 후기

3. 다른 글을 복사하거나 짜깁기하지 않고 독자적인 정보로서의 가치를 가진 글

4. 해당 주제에 대해 도움이 될 만한 충분한 길이의 정보와 분석 내용을 포함한 기록

5. 읽는 사람이 북마크 하고 싶고 친구에게 공유/추천하고 싶은 내용

6. 네이버 랭킹 로직을 생각하며 작성한 것이 아닌 글을 읽는 사람을 생각하며 작성한 글

7. 글을 읽는 사용자가 쉽게 읽고 이해할 수 있게 작성한 포스팅

지수가 올라가고, 상위 노출이 되는 비결은 간단합니다. 저품질이나 누락되지 않는 비결 역시 같습니다. 네이버가 하라는 것은 하고, 하지 말라고 하는 것은 하지 않으면 됩니다.

검색했을 때 맨 위에 나오는 글들이 바로 네이버가 좋아하는 내용입니다. 사람들이 와서 머물게 합니다. 궁금증을 해결해

주고, 남에게 추천하고 싶습니다. 신뢰할 만합니다. 네이버는 사람들이 떠나지 않고 계속 머물게 하는 문서들을 검색했을 때 상위에 노출시킵니다.

NAVER SEARCH가 생각하는 좋은 글과 유해 문서, 스팸·어뷰징 문서에 대해 궁금증이 풀리셨나요? 이 가이드라인을 참고하셔서 내 블로그나 카페, 사이트 등에 스팸이나 어뷰징으로 간주할 만한 요소가 없는지 체크하시기를 바랍니다.

## 5. 누락 및 저품질 확인 방법

블로그유틸24(https://blogutil24.com) 사이트도 유용한 누락 여부 확인 사이트입니다. 위 주소에 들어가 윗쪽 <블로그> 메뉴를 누르고 왼쪽 2번째 <블로그 검색 누락 확인>에서 블로그 주소를 입력합니다. 회원 가입 없이도 한 번에 50개 글을 검색해 누락 여부를 알려 줍니다.

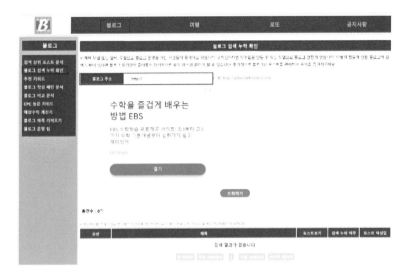

블로그유틸 24(https://blogutil24.com) 사이트나 블로그 헬퍼 (https://bloghelper.co.kr) 사이트에서 내 블로그 주소를 넣어서 검색했는데 모든 글이 누락이나 빨간색으로 나온다면 이는 한 순간에 해결될 문제는 아닙니다.

아예 문제가 되는 글을 모두 내리고 다시 쓰는 게 나을 수도 있습니다. 이럴 때는 내가 어떻게 하려다가 더 문제가 생길 수 도 있습니다. 컨설팅을 받아 제대로 된 방향을 잡으시는 쪽을 추천합니다.

여기서는 그중 몇 개만 문제가 되었을 경우 해결책을 알아봅 니다.

의심 가는 글들을 체크해서 확실한 방법으로 재확인합니다.

내가 쓴 글들의 제목 전체를 초록 창에 쳐봅니다. 전에는 제목 앞뒤에 큰따옴표를 넣어 "지식창업과 수익화로 성과 내기 (feat. 피터 드러커)"라고 입력해야만 했습니다. 지금은 큰따옴표를 빼고 제목 전체를 써도 확인이 가능합니다.

**누락 확인 방법**

첫째, 최근 작성한 내 글의 제목을 복사합니다.

둘째, 복사한 글을 창에 넣고 검색합니다.

셋째, 다음과 같이 VIEW 탭에 보인다면 정상입니다.

그런데 뷰 탭에서는 나오지 않고, URL로만 나오거나 아예 나오지 않는다면 누락이 맞습니다. 글을 쓰고 바로 나오지 않는다고 하면 안 됩니다. 그때는 아직 네이버가 내 글을 판단하고 점수를 매기는 중이기 때문입니다. 24시간 뒤에 확인했는데 나오지 않는다면 누락입니다.

이렇게 최근 글 5~6개를 확인해 봤는데 모두 나오지 않는다면 저품질에 걸렸을 가능성이 '매우' 큽니다.

가장 확실한 방법은 내 글의 <관리>로 들어가서 <유입 경로>를 확인하는 것입니다.

다음 이미지와 같이 모바일이나 PC에서 네이버 통합검색, 뷰검색을 체크합니다.

<네이버 블로그_모바일>, <네이버 통합검색_PC>, <네이버 뷰검색_PC>로 유입되는 결과가 갑자기 사라졌다? 그렇다면 안타깝지만 우려대로 내 블로그가 저품질이나 누락됐을 가능성이 아주 높습니다.

| 유입분석 ? | | 〈 2023.0 |
|---|---|---|
| 전체 | 검색 유입 | 사이트 |
| **S 유입경로** | | |
| 네이버 통합검색_모바일 | | **30.57%** |
| 네이버 블로그_모바일 | | 14.65% |
| 네이버 블로그_PC | | 14.01% |
| 네이버 뷰검색_모바일 | | 10.83% |
| 다음 검색_모바일 | | 9.55% |
| 네이버 통합검색_PC | | 7.01% |
| 네이버 뷰검색_PC | | 4.46% |
| 다음 검색_PC | | 1.91% |

## 6. 블로그 저품질 이유

첫째, 키워드 중복입니다.

새벽기상 1일 차, 2일 차…. 경제신문 읽기 1일 차, 2일 차, 3일 차….

OOO 부동산 매물, OOO 피부관리실 등 특정 단어를 계속해서 반복하면 바로 문제가 생깁니다. 비슷한 단어를 계속 반복하면 네이버 AI가 그 사이트를 스팸으로 인식하기 때문입니다. 블로그에 대한 글을 시리즈로 쓴다고 계속 반복해도 문제가 생깁니다.

둘째, 이미지 중복입니다.

구글이나 무료 이미지 사이트에서 가져와서 그대로 사용하시나요? 잘못 사용하면 저작권법에 위반될 수 있습니다. 글감에 있는 사진을 사용한다면 저작권 문제는 없습니다. 하지만 무료인 만큼 많은 사람이 사용하겠지요? 내가 찍은 사진이 제일 좋습니다. 어렵다면 캡처한 사진은 빨간색 테두리를 합니다. 미리캔버스, 캔바, PPT 등에서 이미지를 변형해서 가지고 오기도 합니다.

셋째, 글 중복입니다.

책이나 강의, 신문, 남의 글들을 복사 붙여넣기 해서 그대로 사용한다면 당연히 문제가 됩니다.

넷째, 무기, 불법, 금칙어 사용입니다.

다섯째, IP 문제입니다.

고정 IP를 사용해야만 합니다. 공공장소에서 와이파이를 사용해 글을 올리거나 핸드폰에서 작성해서 올리면 안 됩니다. 데이터로 하니 괜찮지 않을까요? 아닙니다. 모두 유동 IP로 인식합니다.

고정 IP가 가능한 곳에서만 글을 올리십시오. 1인 사업가라 회사 인터넷도 나 혼자 사용한다면 괜찮습니다. 그래서 저는 출근 전에 글을 올리지 못하면 회사에서 글을 정리해도 반드시 집에 와서 올립니다.

7. 저품질 탈출 방법

위의 경우 중 무엇이 문제인지 확인하고 그 부분을 수정합니다.

1번이라면 중복되는 내용을 수정하십시오. 특히 인증글, O일차 새벽기상, 감사일기 O일… 해당 패턴으로 계속한다면 블로그를 오래 했어도 문제가 될 수 있습니다.

2번이라면 문제되는 이미지를 빼거나 다른 것으로 바꿉니다.

3번은 중복된 글을 바꿔야만 합니다.

4번이라면 <금칙어 검사>를 해서 해당 내용을 수정합니다.

제 경우는 시간이 없어서 피터 드러커에 대한 도서 소개글을 거의 그대로 붙여 넣은 부분이 문제가 됐습니다.

여러 번 수정했는데도 계속 글이 나오지 않았습니다. 결국 문제가 된 부분을 아예 다시 쓰고서야 벗어났습니다.

이런 경우는 아예 글을 비공개로 하는 것이 낫지 않냐고요? 그렇지만 이미지나 동영상까지 노력이 많이 들어간 글이라 그냥 버리기가 아까웠습니다.

수정하면 안 된다고 들었는데요? 맞습니다. 원래 가능한 한 하지 않는 것이 좋습니다. 특히나 여러 번 수정하면 문제가 있다고 생각해 더 나쁜 점수를 줍니다.

원칙적으로 수정은 발행 30분 내에만 하는 것이 좋습니다. 이렇게 이 글을 도저히 버릴 수 없다고 하는 경우나, 누락 이유를 정확히 알고 고칠 수 있는 경우만 가능한 방법입니다. 제목과 섬네일 제목이 다른 것 보이시나요? 제목도 바꿔보고,

글도 2번이나 수정해서 겨우 건진 글입니다. 그만큼 더 글을 조심해서 써야 한다는 값진 교훈을 남겼습니다.

## 4. 네이버 블로그로 수익화하는 법

네이버 블로그를 운영하는 목적은 다양합니다. 그중에서도 많은 사람들이 블로그를 통해 수익을 창출하고자 합니다. 이 번에는 네이버 블로그로 수익화하는 방법에 대해 알아보겠습니다.

1. 애드포스트

네이버 블로그에서 가장 대표적인 수익화 방법 중 하나는 애 드포스트입니다. 애드포스트는 네이버에서 제공하는 광고 서 비스로, 블로그에 광고를 게시하고, 광고 수익을 올릴 수 있 습니다.

2. 체험단

체험단은 제품이나 서비스를 제공받고, 그에 대한 후기를 작 성하는 것입니다. 체험단을 통해 제품이나 서비스를 무료로 제공받을 수 있으며, 후기를 작성함으로써 블로그의 인기도 를 높일 수 있습니다.

3. 제휴 마케팅

제휴 마케팅은 다른 기업의 제품이나 서비스를 홍보하고, 그 에 대한 수수료를 받는 것입니다 .

## 4. 강의 및 컨설팅

자신이 가진 지식이나 경험을 바탕으로 강의나 컨설팅을 제공하고, 그에 대한 이익을 얻을 수 있습니다.

## 5. 상품 판매

자신이 직접 만든 상품이나, 다른 기업의 상품을 블로그에서 판매하고, 그에 대한 수익을 올릴 수 있습니다.

## 6. 공동구매

다른 사람들과 함께 공동구매를 진행하고, 그에 대한 수수료를 받을 수 있습니다.

## 7. 블로그 마켓

네이버 블로그에서 상품을 판매할 수 있는 블로그 마켓을 이용할 수 있습니다. 블로그 마켓을 이용하면 상품을 쉽게 판매할 수 있으며, 네이버페이를 이용하여 결제도 간편하게 할 수 있습니다.

## 수익화 전략 수립

블로그를 운영하기 전에 수익화 전략을 수립하는 것이 중요합니다. 자신이 원하는 수익 목표를 설정하고, 그에 맞는 전략을 수립해야 합니다.

## 콘텐츠의 질과 양

블로그의 인기도를 높이는 데 중요한 역할을 합니다. 사용자들이 원하는 정보를 제공하고, 사용자들의 관심을 끌 수 있는 콘텐츠를 제공해야 합니다.

## 블로그 운영의 지속성

꾸준히 운영하는 것이 중요합니다. 블로그를 꾸준히 운영하면 사용자들의 신뢰도를 높일 수 있으며, 수익도 증가할 수 있습니다.

블로그 운영은 쉽지만은 않습니다. 시간과 노력이 필요하며, 때로는 스트레스를 받을 수도 있습니다. 자신의 체력과 시간을 고려하여 적절한 운영 계획을 세우고, 꾸준히 운영하는 것이 중요합니다.

네이버 블로그를 운영하는 것은 쉽지 않은 일이지만, 노력과 열정을 가지고 꾸준히 운영하면 좋은 결과를 얻을 수 있습니다.

## 5. 블로그 Q & A

BLOG를 처음 시작하시는 분들이 많이 하시는 실수 중 하나가 바로 '내가 쓰고 싶은 글'을 쓰는 것입니다. 물론 인터넷상의 기록이라는 면에서는 일기, 기록으로 기록하는 것도 의미 있습니다.

내가 쓰고 싶은 글을 쓰는 것이 나쁜 건 아니지만, 방문자 유입과 수익화를 위해서는 조금 다른 접근이 필요합니다. Q&A를 통해 어떻게  운영하면 좋을지 알아보겠습니다.

Q1. 어떤 주제로 써야 하나요?

사실 이 부분은 정답이 없습니다.

한 분야로만 쓴다면 성장이 빠릅니다. 인플루언서나 Expert를 달 때도 유리한 면이 있습니다. 이를 위해서 강사들은 내가 승인받으려는 분야의 글을 한 달 이상 전략적으로 쓰라는 조언을 합니다. 하지만 이렇게 특정 분야로만 쓰다 되면 나중에 소재 고갈이라는 벽에 부딪힙니다.

다양한 주제들을 다루어 보는 연습을 하는 것이 좋습니다. 저는 정보성 글을 주로 다루기 때문에 일상을 나누지 않습니다. 2022년 네이버에서 진행한 <주간일기챌린지>가 숨통을 트이게 했습니다. 제 일상을 기록한다는 면에서도 좋았습니다.

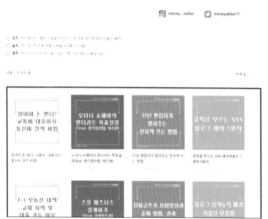

저는 블로그에 크게 4가지 분야를 다룹니다. 블로그 마케팅, 경제, 배움(강의, 독서 등), 글쓰기입니다. 2022년 10월까지 앞의 3가지를 다뤘는데, 10월부터 본업인 출판에 맞춰 글쓰기를 했습니다. 섬네일도 주제에 따라 색이 다릅니다. 갈색은 글쓰기, 파랑은 배움, 하양은 경제, 초록은 블로그·SNS 마케팅입니다.

4개는 많습니다. 주제가 3개 이상이 되면 분산되고, 블로그 지수도 잘 오르지 않습니다. 물론 계속하다 보면 좋은 결과가 있겠지만 시간이 오래 걸립니다.

## Q2. 하루에 글을 몇 개씩 올려야 되나요?

1일 1 포스팅을 원칙으로 하지만, 일이 바쁘거나 컨디션이 안 좋을 때는 2~3일에 한 번 올리기도 합니다. <블로그 중급반> 챌린지 때문에 억지로라도 매일 올렸지만, 대신 발행 시간이 일정하지 않습니다. 2023년 10월부터는 업무가 너무 바빠 모든 자기 계발을 중단했습니다.

블로거 No.1인 최광자 강사의 카카오톡 커뮤니티 사람들은 1일 3~4개씩 포스팅 하는 경우도 많습니다. 주로 경제 블로거들이 많습니다. 강사님도 한참 치열한 순위 경쟁 중에는 1일 7 포스팅도 했다고 했습니다. 상위권들의 순위 경쟁은 그야말로 피 튀기는 전쟁터였습니다.

1일 1글 쓰기보다 중요한 것은 사람들에게 도움이 되는 글을 쓰느냐입니다. 읽을 만한 글을 써야 한다는 뜻입니다. 하지만 처음 시작한다면 이것저것 따지지 말고 무조건 매일 쓰십시오. 일단 글 근육을 만들어야 하기 때문입니다. 최소한 50~100개의 글이 쌓여야 유의미한 결과를 얻을 수 있습니다.

단, 여러 번 반복하지만 경제신문읽기 1일차, O 일차…, 새벽 기상 O일…, 감사일기 1일 차…류의 인증 글은 블로그 지수에는 도움이 되지 않습니다. 오히려 동일 단어 반복으로 스팸에 걸리거나 저품질, 누락을 가져올 수도 있습니다.

특히 제목에 동일 단어 반복은 반드시 피해야만 합니다. 사업장을 홍보한다고 주야장천 OOO 맛집, OOO 부동산 하는 식으로 반복하다가는 아예 상위 노출은 물 건너갑니다.

글을 얼마나 자주 쓰느냐 하는 것은 사람마다 다르기 때문에 자신에게 맞는 방법을 찾아서 하시면 됩니다. 제일 이상적인 것은 1~2일에 한 번 쓰더라도 양질의 글을 발행하는 것입니다. 통계를 확인해 사람들이 가장 많이 들어와 보는 시간에 맞춰 씁니다. 만약 어렵다면 예약 발행을 하는 방법을 추천합니다.

## Q3. 키워드 잡는 게 너무 어려워요

상위 키워드라는 건 결국 검색량 대비 문서 수가 적은 걸 의미합니다. 예를 들어 네이버 창에 찾으려는 단어를 썼을 때 바로 나오는 것이 연관검색어입니다. 사람들이 이런 내용으로 많이 찾는다는 뜻입니다.

네이버 search 광고나 구글 트렌드 등 여러 가지 툴을 활용하면 어떤 키워드가 인기 있는지 알 수 있습니다. 하지만 초보자에게는 너무 어려운 방법이기 때문에 쉽게 접근할 수 있는 방법을 소개합니다.

먼저 자신이 쓰려고 하는 글을 입력합니다. 예를 들어 '노트

북추천' 이라는 단어를 넣고 엔터를 치면 아래나 우측 화면
에 자주 찾는 내용들이 나옵니다. 이렇게 나온 키워드 중에
서 조회수가 높은 순으로 정렬시키면 됩니다.

제일 먼저 나오는 파워링크는 광고 영역입니다. 이 중에서
VIEW 탭을 봅니다. 우측에 쇼핑몰 데이터도 찾아 보여 줍니
다.

수많은 게시물 중 상위 노출되는 게시물 대부분은 제목에 '노트북추천'이라는 단어가 들어가 있습니다. 즉, 많은 사람들이 관심 있는 키워드로 제목을 설정해야 한다는 뜻입니다.

그렇다고 해서 무조건 아무 단어나 막 넣으면 안됩니다. <네이버 광고 - 키워드 도구>에서 <월간검색수 / 월평균클릭수 / 경쟁정도>를 파악해서 2~3개 정도 적절하게 조합하면 된답니다.

관리에 들어가 내 글 중 조회수나 공감이나 댓글을 많이 쓴 글을 확인합니다. 반응이 좋았던 종류의 글을 씁니다.

# 에필로그

21년 동안 저자들의 글을 만지며 단행본과 잡지를 만들다가 처음으로 제 이름으로 책을 출간하니 떨립니다. 22년 2월 28일에 처음 블로그에 글을 쓰기 시작한지 1년 10개월 만입니다. 22년 12월 31일에는 제 첫 무료 전자책인 <블로그 성장키 A to Z>을 출간하느라 친구와 밤을 샜습니다. 꼭 1년 후인 지금 그 내용에 중급·고급 내용을 70페이지 이상 추가해 정식 책 출간 마감을 앞두니 감회가 새롭습니다.

그동안 정말 열심히 공부하며 글을 써왔구나 느꼈습니다. 이 내용을 가르쳐 주신 최광자, 플랫폼트리, 타이탄철물점, 김동석 강사님과 수많은 강사들, 블로그 책 저자들에게 감사드립니다. 첫 무료 전자책을 디자인해 주고, 응원해준 샤이니앤제이님, 제가 다시 희망을 가지게 해준 김미경 학장님께 감사드립니다.

6년 만에 다시 책을 만들고, 교정하니 힘들지만 행복했습니다. 공부하느라 가족을 뒷전에 둔 아내와 엄마를 끝까지 믿어준 남편과 딸, 다시 일어날 수 있는 기회와 힘을 주신 하나님께 감사드립니다. 이 책이 여러분들의 블로그 생활에 도움이 되기를 바랍니다. 질문이 있으시면 이메일이나 블로그 댓글로 남겨주세요. 아는 한도 내에서 알려드리겠습니다. 감사합니다.

블로그 주소 : blog.naver.com/esterseo

이메일 : moneyeditor@naver.com